무빙 이미지의
경계를 확장해 나가는
보더리스 8인의 예술가들
스토리텔러

무빙 이미지의
경계를 확장해 나가는
8인의 예술가들

보더리스 스토리텔러

보더리스 스토리텔러

무빙 이미지의 경계를 확장해 나가는 8인의 예술가들

영화는 종종 다른 분야의 전문가들에 의해 확장된다. 실패를 두려워하지 않고 미지의 세계를 향해 모험을 감행한 과학자, 문학가, 미술가, 무용수, 음악가들이 없었다면 영화의 현재는 매우 협소했을 것이다. 마르그리트 뒤라스, 피나 바우쉬, 장 콕토, 피에르 파올로 파솔리니, 백남준, 이창동과 같은 예술가들이 자신의 분야에 안주하거나 새로운 매체를 시도하지 않았다면 우리는 보편적이라 불리는 영상예술의 내용과 형식 속에서 독창적인 작가들을 만나지 못했을 것이다. 과거에 비해 새로운 시도는 환영받는 분위기지만 여전히 폐쇄적인 장르 구분과 경직된 아카데미즘의 비평 안에서 예술가들이 한 분야의 거장의 반열에 오르지 않는 이상 그 가치를 제대로 인정받기까지는 오랜 시간이 걸린다. 그러나 혁신의 영혼은 서로 다른 장르, 문화, 사회적 경험이 교차되는 경험 속에서 피어난다. 관습과 규칙이라는 현 체제를 넘어서는 상상하는 힘, 새로운 시대는 늘 관습의 반대편에서 시작됐다.

전주국제영화제는 그 탄생에서부터 필름시대의 대안으로 '디지털' 영화를 제시하며 시작되었다. 새로운 재능을 발굴하고, 도전적인 이미지 언어의 실험을 지지하는 영화제로 영화의 확장 현상에 주목하며 극장의 대안으로 전시장에서 작품을 소개하기도 했다. 다양한 크기의 스크린에서 무빙 이미지의 영역이 빠르게 확산되는 현상 속에서 전주국제영화제는 현시점에서 추구해야 할 새로움은 무엇인지, 영화는 어디까지 확장될 수 있을지 자문했다. 그 답을 찾기 위해 그간 영화감독의 작품만을 소개하던 틀을 깨고, 다른 분야의 작가들 중에서 영상을 매개로 작업하는 이들을 주목해 보기로 했다. 팬데믹을 계기로 시공간에 대한 인식이 달라졌고, 신기술이 예술과 어디까지 결합했는지 그 위치를 궁금해하는 지금, 매체의 한계 없이 자신의 세계를 펼쳐온 동시대 창작자가 개척하고 있는 영역에서 그 답을 찾아보려 한다. 영화가 기술에 의해 탄생했더라도 그 자체만으로는 예술이 되지 않기에, 모두가 기술 변화를 좇는 지금 오히려 매체를 수단으로 동시대의 이야기를 하는 작가를 주목하는 것이 가장 현재적이고 시공간을 넘어서는 것이라는 믿음으로 '보더리스 스토리텔러'를 준비했다.

고등어, 김영글, 김진아, 김희천, 무진형제, 송주원, 오재형, 황수현. 보더리스 스토리텔러 8인은 미술, 문학, VR, 무용, 음악 등을 바탕으로 다른 매체에 대한 두려움 없이 무빙 이미지(moving image)가 어디까지 확장될 수 있는가를 도전해 온 혁신적인 예술가다. 전공이나 전문 분야에 얽매이지 않고 영상 매체를 이용해 현시대에 대한 이야기를 풀어내는 창작자들이다. 영화감독으로서 경력이 있다 하더라도 기술, 형식, 내용에서 관습적인 영화와 차별되는 무빙 이미지의 지평을 넓힌 이도 포함했다. 이들의 작품은 모두 영화적 가치를 내포하면서도 이야기의 새로운 존재 방식을 보여준다.

이 책은 전주국제영화제의 가장 도전적이고 실험적인 섹션 '영화보다 낯선+'의 일환으로 참여 작가와 작품 세계에 대한 이해를 돕기 위해 기획되었다. 따라서 상영 행사의 부산물일 수밖에 없지만, 인터뷰는 한 분야에 대한 집요한 사유를 거친 작가의 고유한 시선을 집성한 책이기도 하다. 물론 작가들과 나눈 찰나의 교감을 최대한 구현하려 했지만 이 책은 고작 겉핥기를 한 것일 뿐이라는 아쉬움은 남는다. 그럼에도 이야기를 하는 것은 노력과 의지가 필요한 일이었기에 그들의 마음과 태도가 전해졌으면 하는 요행을 바랄 수밖에 없다.

조르주 쇠라(Georges-Pierre Seurat)의 유화 「그랑드 자트 섬의 일요일 오후」는 당시 그림은 선으로 그리는 것이라는 편견을 깨고 오랜 시간에 걸쳐 붓으로 점을 찍는 점묘법으로 현대 예술의 방향을 바꾼 작품이다. 이 형식은 물감을 섞지 않고 원색의 점으로 일부를 채우고, 그 보색으로 다른 부분을 채우면 인간의 눈에는 광학적 혼합을 통해 제3의 색이 보이는 원리를 구현한다. 이 세상에 선보이는 수많은 영상이 여러 분야에서 원색과 보색으로 우리 세계를 채우고 있고, 이것이 영화인지 아닌지는 불분명하지만 이들은 자신만의 빛으로 새로운 점을 찍으며 무빙 이미지의 개념을 넓혀가고 있다. 그것은 마치 백남준이 작은 텔레비전 모니터를 통해 내비치던 빛처럼, 스크린의 픽셀이라는 작은 점으로부터 출발해 빛을 쏘아내고 있다. 그들이 분출하는 빛을 통해 완성될 그림이 바로 현재의 예술이자, 동시대 인간 삶의 재현일 것이다.

이야기가 태어난 자리에 모닥불이 있었고, 영화가 있고, TV를 지나 컴퓨터와 핸드폰의 스크린이 있다. 시간과 공간을 초월해 끝없이 발전하는 시대에 가장 빛나는 예술은 인류 역사상 변하지 않은 이야기를 가장 현대적인 목소리로 표현한 것이기에 여기 혁신의 영혼을 지닌 8인의 예술가들의 이야기에 귀 기울여 주길 바란다.

김진아

김진아 감독 © Elena Zhukova

김진아는 서울과 할리우드를 오가며 활동하는 영화감독이다. 시각예술을 시작으로 실험영화, 다큐멘터리, 극영화, VR(Virtual Reality, 가상현실)까지 신작마다 새로운 장르에 성공적으로 도전해 온 개척자다.

한국에서는 미술을, 미국에서는 영화를 공부했다. 학교에서 실험 비디오 작업을 수 편 제작했고, 첫 장편 다큐멘터리 〈김진아의 비디오 일기〉(2002)가 베를린국제영화제에 초청되며 국제적인 주목을 받았다. 장편극영화 데뷔작 〈그 집 앞〉(2003)은 로카르노영화제 '현재의 작가' 경쟁부문에 초청되었고, 미국 영화잡지 『필름 코멘트(Film Comment)』가 선정한 '2003년 최고의 영화 10편'에 포함되었다. 〈두 번째 사랑〉(2007)은 최초의 한미합작 영화이자 한국영화 최초 선댄스영화제 자국 경쟁부문 진출작으로 기록된다. 장편 다큐멘터리 〈서울의 얼굴〉(2009)이 제57회 베니스국제영화제에 초청되었고, 같은 해 심사위원으로 위촉되어 한국 여성 감독으로는 처음으로 세계 삼대 영화제 경쟁 부문의 심사위원을 맡는 영광을 누렸다.

그의 앞장선 행보는 작품 활동에만 그치지 않는다. 아시아 여성 최초로 하버드대 시각예술학과에서 교편을 잡았고, 한국 영화이론을 정규 수업으로 강의한 첫 인물이기도 하다. 현재는 UCLA 대학교 영화과 교수로 재직 중이며 2018년 미국 언론 『버라이어티(Variety)』가 전 세계 영화학교를 대상으로 설문한 최우수 교육자에 이름을 올렸다.

작가는 지난 5년간 두 편의 VR 작업을 공개했고 전시와 수상 경력을 여전히 이어가고 있다. 〈동두천〉(2017)은 1992년 경기도 동두천에서 벌어진 한 기지촌 여성의 죽음과 그 이미지의 역사를 다시 쓴 작품이다. 〈소요산〉(2021)은 1960년대 한국 정부가 미군 기지촌 여성들의 성병 검사와 치료를 명목으로 이들을 감금했던 소요산 입구의 낙검자 수용소, 일명 몽키하우스를 경험하게 한다. 〈동두천〉은 VR 기술과 서사의 만남이 미미하던 시기에 베니스국제영화제 버추얼 리얼리티 경쟁부문 베스트 VR 스토리상을 수상했다. 감독은 신기술을 환영하는 마음에도 불구하고 예술로의 확장성에 반신반의하던 이들에게 매체의 핵심이 기술을 관통하는 이야기를 만났을 때 발견될 수 있는 영화적 가능성을 입증했다.

우연히도 미디어의 시대적 변화는 작가의 삶과도 궤를 함께한다. 디지털 캠코더가 대중화된 90년대에 영상 작업을 시작했고, 30년이 지나 가상 세계에서 새로운 언어를 발견하기까지 작가는 변화의 시대를 온몸으로 통과해 왔다. 특히 미국을 오가는 생활은 다른 역사와 문화, 다른 언어와 맥락이 통용되는 사회 속에서 아시아 여성으로서의 위치를 꾸준히 점검하고 자신만의 언어로 존재를 표현할 수밖에 없었던 토대가 되었으며, 자기 갱신을 촉구하는 강력한 긴장과 혁신을 유발해 왔다. 후기 식민지 한국 사회의 여성이자, 이방인으로의 삶은 부재와 현존 사이를 오가는 경험이기에 다른 누구보다도 더 VR이라는 매체의 근본을 간파할 수 있었을 것이다.

세월이 지나면서 어떤 문제들은 더욱 중요해지고 더 뚜렷이 수면 위로 올라온다. 의식이 깨어나는 시대에 문화지리학적 경계에 서서 새로운 정신적 지형을 탐험하는 작가의 상상력은 분열의 시대에 우리가 잊고 외면하는 곳으로 카메라를 위치시킨다. 그는 늘 추구했던 리얼리즘과 시적 상상력 사이에서 소멸되지 않고 깨어 있는 시대정신을 이미지 재현이 아닌 관객 스스로 체험하고 느끼는 과정 속에서 불러일으킨다.

어디에도 없던 사례를 만들어가고 있는 김진아의 존재는 경계를 넘어 확장될 한국영화계의 자부심이다.

* 이곳에 실린 인터뷰는 서면으로 진행되었다.

김진아 홈페이지

미디어 아트부터 다큐멘터리, 극영화까지 다양한 형식의 무빙 이미지 작업을 해오셨습니다. VR이라는 새로운 매체를 시작할 때 두려움은 없으셨는지요?

새로운 매체에 대한 두려움은 없었다. 내 무지를 도와줄 수 있는 전문가분들을 믿고 나는 그분들에게 내 비전을 확실하게 소통할 수만 있으면 된다고 생각했다. 이런 태도는 여러 가지 매체를 접해본 경험 덕분이기도 하지만 규모 있는 상업영화를 만들며 배운 것이기도 하다. 상업극영화를 만들 때 감독 혼자 할 수 있는 일은 극히 미미하다. 영화의 예산이 커질수록 더 많은 전문가들이 모여들게 되고, 그럴수록 감독의 무지와 무능이 더 드러나게 되니 영화라는 매체가 산업과 예술을 연결시키는 방식은 참으로 아이러니하다. 아무튼, 당시로서는 최초였던 한미합작 영화를 만들기도 하고(〈두 번째 사랑〉(2007)), 태국과 중국처럼 언어가 안 통하는 나라에 가서 적지 않은 예산이 투입된 상업영화의 제작과 연출을 겸하기도 하면서(〈파이널 레시피〉(2014)) 내 힘으로 통제 불가능한 상황에 대한 두려움이나 새로운 기술에 대한 망설임이 많이 사라졌던 것 같다.

VR 작업을 하며 기존 매체와 가장 다르다고 생각하는 지점이 무엇인가요?

VR과 기존의 2D영화와의 교집합이 분명히 있다. 하지만 모든 VR이나 실감미디어(Immersive Media)를 영화의 한 장르로 축소해서 보는 것은 불합리하다고 본다. 시간성을 배제하고 게임 엔진으로 만들어진 비서사 구조의 VR 작품들이 주류가 되어가고 있는 이 시점에서는 더더욱 그렇다.

서사 구조를 가진 시네마틱 VR(Cinematic VR)의 경우라 할지라도 2D영화와 VR을 기호학적으로 비교해 보면 두 매체의 다른 점이 극명히 드러난다. 영화 언어는 한 시공간(사건)을 여러 앵글과 숏 사이즈로 촬영한 후 편집하여 재구성하는 매우 독자적인 문법 체계를 가지고 있다. 그러나 가상현실 영화에서 그런 방식의 편집은 불가능하다. 더 근본적인 차이는 프레임의 부재다. 일반 2D영화를 보여주는 직사각형의 프레임, 렌즈 안에 포착되는 세계를 연출자가 결정할 수 있다는 것은 실로 어마어마한 권력이다. 한 프레임이 결정되는 순간, 그 프레임 밖의 세상은 모두 버려지는 것이다. 반면 VR영화에는 프레임이 없다. 현실 세계와 다름없이 확 트인 공간 안에서 어디를 볼지 결정하는 것은 관객이다. 물론 시네마틱 VR을 만들 때에도 감독이 원하는 곳으로 관객의 시선을 유도하기 위해 동선이나 사운드 등 여러 가지 장치를 쓴다. 그러나 평면 영화처럼 프레임이라는 강력한 시각적 통제를 사용해서 아름다운 꽃 위에 사뿐히 앉은 나비만 프레임 안에 선택하여 보여줄 수는 없는 것이다. VR영화의 뻥 뚫린 360도 공간에서는 그 꽃이 버려져 있는 쓰레기 더미와 그 뒤로 보이는 연기가 오르는 능선, 시커먼 하늘까지 관객이 보는 것을 막을 수 없다. 기호학적인 측면에서만 본다면 VR이라는 매체는 이미지 전달이 훨씬 더 민주적인 매체이다.

VR로 작업한 첫 번째 작품이 〈동두천〉입니다. VR이라는 매체로 '윤금이 피살 사건'을 다뤄

내가 대학교 1학년 때 '윤금이 피살 사건'이 일어났다[1]. 처음 대자보에 붙은 사건을 읽고 느낀 충격이 아직도 생생하다. 미군 위안부들이 각종 미군 범죄에 노출되어 있는 것은 모두가 어렴풋이 짐작하고 있었지만 한 사건이 이렇게까지 주류

1. 1992년 10월 28일 경기도 동두천시 기지촌에서 일하던 윤금이(尹今伊, 당시 26세)가 주한 미군 2사단 소속 케네스 마클(Kenneth Lee Markle III) 이병에게 살해당한 사건.

봐야겠다고 생각한 계기가 있었나요?

사회의 표면에 떠오르는 것은 처음 있는 일이었다. 우리 모두 분개했고 시위에 참석했지만, 정작 나를 가장 분노케 한 것은 전단지와 대자보, 신문 기사에 도배되어 있는 윤금이 씨의 사체 사진이었다. 참혹하게 살해된 한 젊은 여성의 이미지가 공개되었고, 그녀의 인권이 무참히 짓밟혔다. 여성의 이미지가 무한 복제되어 여성 자신이 아닌 다른 대의를 위해 사용되는 것에 본능적으로 강렬한 분노를 느꼈다. 그 분노를 표현할 방도가 당시로서는 없었다. 이미지에 속한 인권, 재현의 윤리에 대한 아무 논의 없이 시위가 지속되는 동안 내가 느낀 분노와 무력감은 결국 피해자에 대한 모종의 부채감으로 내면화되었던 것 같다.

사실 이 사건이 내 예술가로서의 정체성을 만들었다고 해도 과언이 아닐 정도로, '윤금이 사건'과 관련 이미지들은 내게 큰 질문을 던졌다. 조악한 흑백 사진, 그 아래 적힌 도발적인 슬로건과 엉터리 영어 문구들이 인쇄된 전단지를 볼 때마다 후기식민 사회에서 살고 있는 여성이라는 내 정체성에 대한 자각이 마음속에 낙인처럼 찍혔다. 이후 이 이야기를 영상으로 표현하고 싶다는 생각을 잊은 적이 없다. 시나리오 작업도 진행했었고 국내외 제작사와 꽤 진전된 이야기가 오고 가기도 했지만 극영화라는 매체의 한계를 넘어서는 윤리적 재현 방법을 찾을 수 없었다. 제작사들은 두 남자(형사와 범인)가 주인공이 되고, 여성은 오직 피해자, 심지어 사체로만 등장하는 스릴러의 장르적 서사를 원했다. 반면 나는 폭력의 재현이나 이미지의 착취 없이, 여성 피해자가 이야기의 주체가 되기를 원했다. 그런 첨예한 대립에 타협점이 처음부터 있을 수 없었다.

그러다 VR 매체를 만났다. 이 매체의 미학적 기조가 일반 평면 영화와 같은 '관음'이 아니라 '체험'이라는 사실에 주목했다. 관객이 눈앞의 이미지를 관음적으로 소비하는 것이 아니라,

영상에서 재현하는 공간의 일부가 되어 체험하게 된다는 것. 그곳에 함께 있게 된다는 것. 그렇다면 폭력을 재현하지 않고 폭력을 이야기하는 역설적 접근이 가능할 수도 있겠다는 생각이 들었다.

〈동두천〉 작업에서 가장 중요하게 생각한 부분은 무엇이었나요?

처음 머릿속에 전등이 켜지듯 생각난 미학적 모토는 "사체의 부재(the absence of body)"였다. 그 사건의 내용과 시간과 공간을 피해자의 사체가 아닌 사체의 부재를 통해 재현하고 싶었다. 25년 전 내가 본 현장 사진, 이후에도 인터넷에 수없이 떠돌던 그 참혹한 사진, 그 이미지가 재생산되고 파급되던 모든 과정을 되돌리고 그 이미지를 삭제하고 싶었던 것 같다. 그래서 처음에는 사체가 없는 사건 현장, 폭력이 일어났던 빈방을 VR로 재현하고 싶었다.

미국에서 기사, 논문, 서적은 물론 미군 내 자료와 간행물에 이르기까지, 힘이 닿는 한 모든 자료를 찾았으나 사건 현장의 방 디테일은 찾을 수 없었다. 한국에서 찾은 자료들도 별반 다르지 않았다. 당시 현장을 묘사한 기사를 썼던 기자와 작가들을 접촉하기도 했지만 현장을 직접 보지 않고 사진 이미지를 글로 재생산했다는 사실이 점차 드러났다. 사건이 일어난 방이 위치했던 건물은 그대로 있었으나 건물 내부가 개조되어 방의 모습은 남아 있지 않았다. 원래 생각했던 시나리오를 실현할 수 없겠다는 생각이 들었다.

작업 과정에는 또 다른 변수가 있었다. 처음 조사를 시작할 때는 피해자가 살던 1992년 기지촌 모습은 찾을 수 없을 것이라 생각했다. 서울 근교의 도시에서 25년이란 세월은 모든 흔적을 없애기에 충분한 시간이 아닌가. 그런데 막상 리서치를 시작하자 예상과 다른 상황들이 벌어졌다. 동두천 기지촌은 포르말린

WINNER
BEST VR
STORY

EXPERIENCE

WHAT

CANNOT

BE

SAID

IN ASSOCIATION WITH DANKOOK UNIVERSITY GRADUATE SCHOOL OF CINEMATIC CONTENT BK21 PLUS TEAM
INSTITUTE OF DANKOOK GLOBAL VISUAL CONTENT VENTA VR AND VRSOUND
STARRING BORYEONG KIM PRODUCED BY SEONAH KIM JIYOUNG KANG
WRITTEN AND DIRECTED BY GINA KIM CO-PRODUCER GINA KIM CINEMATOGRAPHER SAM JEON
LINE PRODUCER EUNSUK JO ASSISTANT DIRECTOR HYUNSEUNG KIM
SCRIPT SUPERVISOR JIHYUN SON EDITOR GINA KIM SHARON CHOI
VR SOUND KYUSIK CHANG SOUND DESIGN AND MIX MARCO D'AMBROSIO
AUDIO POST SUPERVISOR TERRI D'AMBROSIO PRODUCTION DESIGNER HEEJUNG LEE
ART DIRECTOR MIKYUNG KIM SPECIAL EFFECTS EUNJUNG JANG COSTUME DESIGNER JUNGMIN LEE
MAKEUP AND HAIR SUJIN BAEK VR SUPERVISOR JIHYUN SON POST PRODUCTION MANAGER SANSOO KIM
PRODUCTION MANAGER HYEEUN KANG STEREOSCOPIC SUPERVISOR VENTA VR
VISUAL EFFECTS SUPERVISOR BEOMYOUN JEONG COLORIST XINZHONG GOLDEN ZHAO STEREOSCOPIC STITCH EDITING
JIYOUNG KANG AUDIO POST SERVICES MARCOCCIA STUDIOS [illegible] MINIL PARK GEUNYOUNG PARK
[illegible] YOUNGHUN HWANG [illegible] NARAE SONG RESEARCH ASSISTANT SHARON CHOI SUNHEE AHN

〈동두천〉 포스터

에 절여진 것처럼 25년의 시간을 초월하여 그대로 남아 있었다. 윤금이 씨가 사건 당일 미군을 만났던 크라운 클럽도 영업은 중단된 상태였지만 예전 모습 그대로였다. 60년대 풍의 양장점과 스팸과 프링글스를 주로 판매하는 낯선 구멍가게의 모습은 한국을 뒤흔든 개발의 광풍과는 거리가 먼 모습이었다. 밤이 되면 삼삼오오 떼를 지어 미군들이 들어가는 클럽들과 바에서 90년대 초의 음악이 흘러나왔고 거리에는 기계총을 멘 미군과 한국군이 순찰을 돌았다. 2016년의 한국에서는 상상조차 할 수 없는 풍경들이 버젓이 눈앞에 펼쳐져 있는 이 모든 상황이 너무나 당황스러웠다.

같은 지역을 거듭 답사하고 몇 번의 크고 작은 위험한 상황들을 겪고 나니, 2016년 현재 이 지역의 모습을 담아내는 것이 '윤금이 사건'을 이야기하는 것만큼이나 중요하겠다는 생각이 들었다. 그렇게 해서 2016년 동두천 기지촌의 모습을 담아내는 동시에 1992년 있었던 '윤금이 사건'을 시적으로 재현하는 시나리오를 새로 구성하게 되었다.

〈소요산〉 작업 시 〈동두천〉 작업에서 깨달은 무언가를 새롭게 반영한 부분이 있었나요?

〈동두천〉을 만들며 깨달은 것은 3D 360도로 촬영된 이미지가 문자 그대로 실감형 경험(immersive experience)을 관객에게 제공하기에 공간을 아카이빙하는 데 매우 효과적이라는 사실이었다. 〈소요산〉에서는 소요산 낙검자 수용소를 VR 매체에 담아내는 것이 수용소에 갇혀 강제 치료를 받았던 여성들의 이야기를 풀어내는 것과 함께 주된 목표가 되었다.

소요산 낙검자 수용소는 미군 위안부 문제를 언급할 때마다 이야기되는 곳이라 〈동두천〉 사전 답사 당시 가장 먼저 방문하기도 했던 곳이다. 처음 건물 앞에 서서 느낀 것은 서늘함이었

〈동두천〉(2017)
주한미군기지에서 벌어진 '윤금이 피살 사건'을 VR영화로 구현했다.

다. 오래되고 낡아 을씨년스럽구나 하는 느낌이 아니라, 이 건물에서 일어나서는 안 될 일이 일어났다는 것을 건물을 보는 순간 본능적으로 알 수 있는 그런 냉기. 내부는 보행이 어려울 정도로 쓰레기가 가득 차 있었다. 노숙자들의 숙소로, 갈 곳 없는 청소년들의 파티장으로, 유투버들의 촬영장으로 사용된 흔적이 모두 쓰레기로 남아 썩고 있어 차마 눈 뜨고 볼 수가 없었다. 건물의 훼손 상태도 심각했다. 2020년 역대급 장마 이후에는 과연 이 건물이 얼마나 더 버틸 수 있을까 하는 의문이 들었다. 2020년 여름은 코로나 팬데믹으로 영화 제작이 수월하지 않은 상황이었으나 그럼에도 불구하고 제작을 강행한 것은 이런 이유에서였다. 하루가 다르게 문짝과 창틀이 사라지고 비 온 후 버섯처럼 벽마다 그라피티가 쑥쑥 솟아나는 상황에서 더는 기다릴 수 없다고 판단했다.

내러티브 구축에 있어 VR과 영화의 차이는 무엇일까요?

VR영화와 일반 2D영화의 내러티브 구축의 차이는 엄밀히 말해 연출자와 관객 사이의 권력관계가 달라지는 것이다. 2D극영화의 연출자는 프레임 바깥세상을 다 배제할 수 있고, 편집을 통해 관객이 순차적으로 무엇을 보고 생각하고 느낄지 미리 정해놓을 수도 있다. 그러나 360도 몰입형 매체는 그런 통제가 불가능하다. 이런 VR의 특성에 반감을 느끼는 영화감독들도 많지만 나는 VR의 이런 점이 혁명적이라고 느꼈다.

다행히 실험연극 연출을 해본 경험도 있어서 관객(=VR 카메라의 위치)이 가운데에 앉아 있고 관객을 중심으로 배우들이 앞/뒤/옆 어디서든 튀어나와 극을 이끌고 가는 방식에도 익숙했다. 다만 영화적 매체의 시간성이라는 것만은 놓치고 싶지 않았는데, 그러다 보니 대학원 시절 멘토였던 제임스 베닝(James

Benning)의 랜드스케이프 시네마(Landscape Cinema) 서사 구조와 비슷한 전략을 사용하게 되었다. 씬(scene) 안에서의 컷은 불가능하니, 공간이 바뀌며 이야기가 진전되는 서사 방식을 사용하게 된 것이다.

〈동두천〉에서는 피해자의 이동 경로, 그 공간의 점진적 변화가 서사의 축이 되었다. 윤금이가 살해된 밤, 가해자는 크라운 클럽에서 그녀를 만나 숙소이자 일터인 그녀의 방으로 따라와 살해했다. 그리 크지 않은 기지촌 중심가에서 그 이동 경로의 가짓수는 많지 않았다. 든든한 동지가 되어주었던 제작실장 조은석과 조감독 김현승, 그리고 나, 이렇게 세 명이 밤의 기지촌을 돌고 또 돌면서 그 경로를 탐색하고 고민했다. 그렇게 기지촌의 입구(넓고 시야가 트인 공간)에서 시작해 점차 좁아지는 골목으로, 궁극적으로는 윤금이의 방으로 가는 경로로 이어지는 대략 12개의 공간이 서사를 구성하게 되었다.

〈소요산〉의 경우는 달랐다. 한 특정 여성이 아닌, 수용소 건물에 갇혔던 다수 여성의 목소리를 대변해야 했다. 이번에는 수용소 벽에 붙어 있던 일과표, 즉 공간의 이동이 아닌 시간의 점진적 변화가 서사의 축이 되었다. 고풍스런 손 글씨로 적혀 벽에 붙어 있던 수감 여성들의 일과표에는 7시 기상, 7-8시 청소 및 세면, 8-9 조식, 10-11 치료, 11-12 성병관리 교육, 15-17 검진 및 치료 등 빡빡하게 짜인 일과가 적혀 있었다. 이 일과표를 기반으로 수감된 여성들이 감내해야 했던 수용소 내부의 하루를 재구성하는 것이 〈소요산〉 서사의 기초가 되었다.

VR 매체와 이야기가 충돌하거나

일반 2D영화에서 스크린과 관객 사이에 존재하는 심리적 간극을 극복하는 것은 쉬운 일이 아니다. 그러나 VR영화에서는 그 심리적 간극이 극적으로 줄어들거나 거의 존재하지 않게 된다.

하나가 되는 순간이 있었나요?

VR의 심리학적 기제는 관음이 아니라 체험이기 때문이다. 전통적인 영화를 극장에서 본다면 카메라 바로 앞에 폭탄이 떨어져 사람들이 피 흘리는 장면에서도 관객은 팝콘을 먹으며 즐길 수 있다. 하지만 몰입형 VR영화라면 사정이 달라진다. 가상현실이라는 것을 분명히 인지하면서도 대부분의 관객들은 공포를 느껴 몸을 움츠리거나 그 자리를 벗어나고 싶어 한다.

〈동두천〉을 만들 때 윤금이의 이동 경로라는 굵직한 서사의 뼈대에 살을 붙인 것은 이런 매체의 속성에 대한 각성이었다. 윤금이는 가해자에게 두부를 가격당한 후 약 2시간 동안 과다출혈로 천천히 죽어갔다. 생애의 마지막 순간, 좁은 방에서 홀로 피를 흘리며 죽어가는 그녀가 의식이 있는 마지막 순간까지 느꼈을 극한의 외로움에 대해 생각했다. 삶과 죽음의 모호한 경계에서 그녀가 일종의 생령(生靈)으로 자리에서 일어나 매일 밤 손님을 찾아 배회했던 거리로 돌아가는 것을 그렸다. 제대로 시작조차 못 한, 허무하게 끝나버린 자신의 삶에 대해 말하고 싶은 그녀가 자신의 이야기를 들어줄 누군가를 찾아 거리를 부유하는 것을 상상했다. 그 누군가가 〈동두천〉의 관객이다. 가해자도 피해자도 아닌, 무고 방관인으로 동두천 기지촌에 들어온 관객은 언제부터인가 자신의 시선 언저리를 맴도는 아름다운 여성의 존재를 느끼고, 급기야는 시선에서 자꾸만 빠져나가는 그녀를 적극적으로 찾게 된다. 다음 순간, 좁은 골목에서 여성을 조우하는 관객은 드디어 자신 앞에 나타난 그녀의 모습에 안도하기보다는 압도당한다. 여성이 계속 관객에게 다가오고 급기야 관객의 몸을 통과한 후, 여성은 비로소 뒤를 돌아보고 관객과 눈을 맞춘다. 합체를 경험한 관객과 여성이 '서로를 바라보는' 순간. 그 순간은 여성이 1992년 자신이 살해당한 공간과 시간으로 관객을 데려가는 초월적 순간이다.

TEARLESS
WHEN GHOSTS SPEAK HISTORY.
A VR FILM BY GINA KIM
VENTAVR

〈소요산〉 포스터

영화는 프레임을 설정하고 감독의 세계를 펼치는 것에 집중한다면, VR은 하나의 세계를 구축하고 그 속에 관객을 풀어두는 것일 텐데요. 그렇다면 VR에서 스토리텔러는 누구일까요?

세계를 구축하고 그 속에 관객을 풀어두는 것…. 정확한 표현이고 아주 멋진 질문이다. 그 안에서 스토리텔러는 연출자와 관객의 상호작용(interaction), 혹은 관계 그 자체라고 생각한다. 이 관계를 어떻게 설정하느냐는 물론 작품마다 다를 수 있겠다.

그러면 〈동두천〉과 〈소요산〉의 스토리텔러는 누구일까…. 화면 속 세계에 분명 존재하나 관객이 늘 볼 수는 없는 비존재적 존재(spectral figure), 유령 혹은 귀신이라고 불려도 무리가 없을 법한 여성이 스토리텔러다. 〈동두천〉에서는 윤금이를 상징하는 한 여성이 유령처럼 거리를 떠돌며 관객과 숨바꼭질을 한다. 그녀가 처음부터 관객의 시선을 끌지는 못한다. 행인의 한 명으로 보일 뿐이다. 그러다가 그녀는 점진적으로 관객이 자신의 이야기를 들을 수 있도록 주도한다. 그녀의 모습에 주의를 기울이지 않거나 놓치는 관객은 이야기를 따라갈 수 없다. 스토리텔러는 그녀 자신이다.

〈소요산〉 역시 낙검자 수용소에 갇혀 있었던 여성들을 대변하는 한 젊은 여성이 등장한다. 창백하고 깡마른 자신의 현신을 관객 앞에 드러내기 전까지 그녀는 오직 작은 물소리로만 스스로의 등장을 알린다. 물방울이 떨어지는 소리가 날 때마다 (그녀가 나타날 때마다) 관객은 소요산 낙검자 수용소의 모습이 변하는 것을 목격하며 그녀가 감내했던 시간을 함께 경험하게 된다. 텅 비어 있던 침실에 나란히 개켜진 군용 담요가 서서히 나타나고, 깨진 유리창 사이로 초록빛 잎새만이 살랑이던 빈방에 부인과 검진대가 나타난다. 사운드로만 관객을 리드하던 그녀는 어느 순간 현신하여 관객에게 따라오라는 눈짓을 한다. 그녀에게

〈소요산〉(2021)
관객들은 작품을 통해 소요산 낙검자 수용소, 몽키하우스의 건물 내부를 체험하게 된다.

주의를 기울이지 않는 관객은 눈앞에 보이는 시공간의 의미와 연결성을 이해할 수 없다. 스토리텔링은 오로지 관객과 그녀 '사이에서' 양자 간의 상호 관계가 설정됨에 따라 완성되는 것이다.

〈동두천〉과 〈소요산〉에서 관객이 어떤 경험을 하길 기대하셨고 실제 관객 반응은 어떠했나요?

미군 위안부라는 거대한 숙제가 지식이나 정보가 아닌 감각으로 와닿았으면 좋겠다는 생각을 했다. 미군 위안부에 얽힌 복잡하고 정치적인 이슈에 걸려 넘어지지 않고, 누구도 감히 부인할 수 없는 이 여성들의 빼앗긴 인권에 대해 이야기하고 싶었다. 이런 작은 VR 작품으로 그렇게 큰 이야기가 전달이 될까 반신반의하면서도 역사적 맥락에 대한 이해나 사전 지식 없이도 그냥 피부로, 귀로, 가슴으로 여성들의 고통이 느껴지기를 바랐다. 그리고 감사하게도 관객들은 그렇게 느껴주었다.

많은 설명이 없는 함축적인 작품임에도 불구하고 미군 위안부 문제를 접할 기회가 없었던 관객들의 충격은 상당했던 것 같다. 남한에 미군이 아직도 주둔하고 있다는 사실조차 모르는 외국 관객들에게는 특히 더. 제재의 심각성을 고려하여 작품을 상영하는 미술관과 영화제들은 관련 행사를 자체적으로 기획하기도 했다. 암스테르담의 아이영화박물관(Eye Film Museum)에서 작품의 상영과 함께 주한미군문제의 역사와 영화적 재현에 대한 특별 패널을 기획했던 것이 특히 기억에 남는다.

다수의 국제 영화제와 해외 미술관의 상영과 전시를 통해 세계 각국의 다양한 관객들에게 작품을 선보이며 주목할 만한 사안을 발견했다. 관객의 성별과 인종, 국적에 따라 작품을 보며 느끼는 주요 정서가 확연히 달라진다는 것이다. 특히 〈동두천〉의 기지촌 모습, 그 기지촌 거리에 있는 것(VR영화이니 보는 것이 아니라 그곳에 있는 것이다)만으로도 공포를 느끼는 관객들이 있었는데, 이 공포의 반응 정도는 아시아 여성(특히 한국)일수록 심했고 백인 남성이 가장 덜했다. 예를 들어, 한국 여성 관객들의 대다수는 기지촌에 어둠이 내리는 장면부터 극렬한 공포를 느꼈다고 했으나 백인 남성들이 느끼는 주 정서는 슬픔이었고 공포를 느끼지는 않았다는 피드백이 대부분이었다. 아시아 여성 중에서도 식민지배를 겪은 국가의 여성들은 그렇지 않은 국가 여성들에 비해 더 강한 공포 반응을 보였다. 후기식민/제국/자본주의 세상의 권력관계에 따른 인종/국가/젠더별 반응이 이렇게까지 적나라하게 다르게 나타나는 것에 놀랐고… 슬펐다.

이미지, 혹은 영화와 감독님과의 관계에 대해 여쭤보고 싶습니다. 미술을 전공하고 영화를 만드는 여정이 창작에는 어떤 영향을 끼쳤나요?

미술을 전공하면서 배운 것은 시각 언어를 읽고 쓸 줄 알게 된 능력(visual literacy)이다. 양질의 이미지들을 보고, 분석하고 자신의 시각 언어로 소화시켜 창작물을 만들어내는 훈련은 의미있는 교육이었다. 또 당시는 미학 이론이나 미술사 공부를 상당한 강도로 시켰는데 닥치고 암기해야 하는 것들이 너무 많았다.(웃음) 예를 들어, 동양미술사 수업 하나만 해도 몇천 장의 슬라이드(그림)를 암기해야 했고, 시험 문제는 그 슬라이드 중 한 그림을 골라 그림의 작은 부분을 확대하여 보여주고 그 그림이 어느 시대의 작품인지, 왜 그렇게 생각하는지 서술하라는… 뭐 그런 식이었다. 그러니 사실은 암기만 하면 되는 일은 아니었고, 자연히 한 개인의 붓놀림 하나가 그림에 투여하는 신체성(physicality), 수묵의 농담(濃淡)에 묻어나는 작가의 개성, 궁극적으로 그 모든 것들이 필연적으로 담아내는 시대정신, 그런 것들을 의식하고 고민하게 되었다. 따지고 보면 모든 수업이 예술사회학 수업인 셈이었다.

그런 이해를 바탕으로 대학교 4학년 때 비디오아트를 처음 접하게 된 것이라 영상 매체의 속성과 그것이 시사하는 가능성에 큰 의미를 두었던 것 같다. 미술관에 걸려 유일무이한 타블로로만 존재할 수 있는 그림과 달리, 영상 매체는 한마디로 "대중복제시대의 예술"이라는 점에 매료가 된 거다. 아이폰으로도 영화를 찍을 수 있는 요즘에야 영상이 정말 대중적인 매체가 되었지만 당시에는 사실 그렇지는 않았고 언젠가 그럴 수 있겠다는 '징후'만을 볼 수 있었을 뿐이었다. 그럼에도 불구하고 비디오라는 신기술을 통해 영상 매체라는 것이 21세기에는 얼마나 폭발적으로 발전할 것인지는 충분히 예측할 수 있었다. 촬영을 위해 특수 장비와 인력, 자본이 필요한 필름 카메라와 달리 가볍고 누구나 사용할 수 있는 소형 비디오카메라가 주는 매력은 대단한 것이었다. 그때부터 1960-70년대 초기 비디오 아티스트와 미디어 액티비스트의 작품들을 섭렵하기 시작했고 그것이 내 영화 인생의 시작이 되었다.

〈김진아의 비디오 일기〉가 완성된 2002년 이후, 이 작품에는 여성주의 사적 다큐멘터리, 성장영화, 퍼포먼스 비디오아트, 소셜 미디어 시대를 예견한 실험 등 여러 가지 라벨이 붙어 다닌다. 그러나 20년이 지난 지금의 시점에서 내가 보는 관점은 이 비디오 일기가 촬영되었던 시기 한국사회의 젠더 기상도이다. 90년대 후반과 2000년대 초반은 한국영화가 남성화·산업화되던 시간이다. 97년에는 한국영화사에 획을 그은, 소위 대형 남성 감독들이 한꺼번에 등단하기도 했

소셜 미디어나 발전한 매체 기술로 인해 사적인 삶을 표출하는 형태가 보편화되었습니다. 많은 시간이 지난 지금의

시점에서 〈김진아의 비디오 일기〉를 어떻게 보시나요?

고 한국영화의 산업화는 99년 배급된 영화 〈쉬리〉로 물꼬가 터졌다. 그러나 그 속에 여성은 없었다. 전쟁이라고 불릴 정도로 심화된 21세기 현 한국 사회의 젠더 갈등은 여성의 목소리가 완전히 배제되었던 이 시기의 영화들 안에 이미 예견되어 있다.

한국이라는 후기 식민 사회가 (제국주의 피지배자로서의 상대적 여성성을 극복하고) 남성성을 되찾는 이 시기에 〈김진아의 비디오 일기〉가 촬영되고 편집되었다는 사실은 무척 의미심장하다. 당시 미국의 대학원에서 영화를 공부하고 있던 내가 받은 예술 교육 안에는 백인 중심의 유럽이 있었고, 부흥하는 모국의 문화에는 남성만이 존재했다. 그 시기 나는 학교 과제로는 유럽식 모더니즘 실험영화를 제작했다. 하지만 집에 오자마자 숨을 몰아쉬다시피 하며 카메라를 켜고 비디오 일기를 촬영했다. 내가 그런 짓을 한다는 것이 부끄러웠고, 왜 이토록 절박하게 강박적으로 일상을 기록하려 하는지 설명할 수 없었다. 그런데 꽤 최근에 그때 노트에 적었던 메모를 발견했다. 지금 읽어보니, 후기 식민 사회에서 여성으로 존재하는 자신이 누구인지 설명할 수 없는 괴로움을 그렇게 표출하고 있었던 거였다. 그 메모에는 "지금 나는 내가 무슨 일을 하고 있는지 모르지만, 언젠가 미래의 누군가는 지금 내가 하는 일이 무슨 뜻인지 설명해 줄 수 있을 것"이라고 적혀 있었다. 내 괴로움이 내 개인의 문제가 아니라는 것은 어렴풋이 알고 있었으니 어떻게든 일단 기록하고, 타임캡슐처럼 보관해 놓았다가 나중에 의미를 찾겠다는 것이다. 그런 타임캡슐들을 나중에 열어 결국 편집까지 하게 되었고 여러 이론가들에 의해 그 의미가 분석되었으니 어떻게 보면 예측이 맞았던 셈이다.

이런 의미에서 〈김진아의 비디오 일기〉가 현재 소셜 미디어를 통해 소비되는 사생활 동영상과는 같은 면보다 다른 면이 더 크다고 본다. 나르시시즘이 자기 정체성을 찾는 동력으로 쓰이고 있다는 점, 카메라 렌즈가 세계를 향한 창인 동시에 자신을 옭아매는 감옥이라는 점에서는 유사한 부분이 분명히 있다. 다만, 〈김진아의 비디오 일기〉는 즉각적인 소비와 전시를 목적으로 한 것이 아니라는 것, 피드백(이미지의 소비자)에 의해 조종되지 않는다는 점이 크게 다르다. 어쩌면 상당히 본질적인 차이일 수도 있겠다.

그간 다양한 매체로 여성의 몸, 욕망에 대한 이야기를 했는데요. 이야기에 맞는 매체라는 것이 존재한다면, 감독님의 작품은 어떤 지점이 각 매체와 맞아떨어졌나요?

〈김진아의 비디오 일기〉는, 제목 그대로 '비디오' 일기이다. 비디오라는 매체가 없었으면 만들어지지 않았을 작품이다. 여타 이 시기에 만들어진 단편 비디오 작업들은 모니터에 아날로그 카메라를(지금은 찾을 수 없는 VHS-C 카메라를 사용했다) 연결하고 스스로를 모니터링, 혹은 감시하면서 촬영한 작업이다. 내가 나를 보고, 내가 나를 연출하고, 내가 나를 촬영하는, 주어와 목적어가 같은 폐쇄회로 작업이다. 돌이켜 보면, "가장 개인적인 것이 가장 정치적이다"라는 모토 아래 활약했던 여성주의 작가들의 전략, 또 로잘린드 크라우스(Rosalind Krauss)가 언급한 대로 나르시시즘을 심리적 기제로 사용하는 비디오아트의 미학에 닿아 있었다.

〈그 집 앞〉의 과정은 달랐다. 극도로 미니멀한 스타일의 이 영화는 그럼에도 불구하고 극영화의 전통적 제작 방식을 필요로 했다. 이전의 폐쇄회로 비디오 작업 방식을 버리고 세상 속으로 카메라를 들고 나서야 했다. 전문 제작진이 필요했고 이전과는 전혀 다른 수준의 예산이 필요했으며 이는 궁극적으로 내게 매체의 변화 또한 일으켰다. 〈그 집 앞〉은 예산 절감을 위해 HDcam 카메라로 촬영되었으나 극장 배급을 위해서 35mm 프린트로 전환되었다. (디지털 비디오 기술이 비약적으로 발전하면서 "Celluloid is dead - 필름은 죽었다"라는 선언이 나오던 시대였으나, 극장 배급을 위해서는 결국 35mm 프린트가 필요했다!) 비디오/필름 매체 전환의 과도기는, 창작자로서 논픽션과 픽션, 실험영화와 전통적 극영화의 간극을 좁혀가며 좀 더 대중적인 방식으로 여성의 욕망을 이야기하고 싶었던 내 성장의 시기와 맞아떨어졌고 이는 물론 우연이 아니다.

이후, 〈두번째 사랑〉에서는 상업영화의 틀 안에서 전통적인 방식의 서사를 선택했다. 당시 상업극영화를 처음 찍게 되면서 나는 장르와 매체가 가지는 전통의 전복을 원했다. 욕망을 가진 여성은 끝내 처벌받고야 마는 60년대 한국 멜로드라마 영화의 서사에, 할리우드 영화 속 아시아 남성들의 무성화(無性化)된 전형에, 그리고 가장 중요하게는 백인 여성과 아시아 남성의 정사 씬을 터부시하는 영화사의 전통에 도전하고 싶었다. (당시까지 주류 영화사 속에서 그런 조합을 찾을 수 있는 예는 알랭 레네(Alain Resnais) 감독의 〈히로시마 내 사랑〉과 장자크 아노(Jean-Jacques Annaud) 감독의 〈연인〉뿐이었다.) 이 모든 고착적 영화 전통에 질문을 던지는 정공법으로, 35mm 필름을 선택했다.

여성의 몸과 욕망을 다루지는 않았으나, 〈서울의 얼굴〉 역시 매체에 대한 고찰이 담겨 있는 작품의 예다. 하드디스크에 이미지를 저장할 수 있는 기술이 안정화되고 완전한 디지털 비디오의 시대가 열리면서 제일 먼저 한 일은 1995년부터 2007년까지 틈틈이 촬영해 왔던 서울의 이미지들을 모아 하드디스크에 모아들이는 작업이었다. VHS-C 테이프, 6mm 테이프, 디지털카메라의 스틸 사진 등, 10년 남짓한 세월 동안 매체의 발전과 함께 포맷이 달라진 이미지들이 편집되어 에세이 영화로 만들어진 것이 〈서울의 얼굴〉이었다. 이 영화의 내레이션은 프랑스 출판사에 의해 한국어, 불어, 영어의 3개 언어를 담은 포토 에세이 서적으로 출판되기도 했다. 당시 서적판에 큰 기대가 없었던 나는 책을 받아보고 깜짝 놀랐는데, 영화의 사운드트랙을 들을 수 있도록 삽입된 QR코드가 책도 영화도 아닌 새로운 청각 매체를 독자적으로 만들어냈기 때문이다.

프레임이 사라진 VR 작업 자체가 가지고 있는 의미가 있지만, '윤금이 사건'이나 소요산처럼 매우 조심스러운 주제에 대해 이야기할 때 감독님은 카메라의 시선을 어떻게 세팅하시나요?

나는 몸으로 영화를 만든다. 오죽하면 미국 듀크대에서 준비하고 있는 회고전 제목이 『The Embodied Cinema of Gina Kim (김진아의 체화된 영화)』이다. 카메라의 시선을 예로 설명하자면, 나는 내 몸이 제공하는 직관에 따라 카메라의 위치를 정한다. 〈동두천〉에서 마지막 방 씬의 카메라 높이에 대해 많은 평론가들이 언급을 했다. 참으로 애매한 높이의 시선(카메라의 위치)으로 인해 관객 자신이 마치 이 세상에 속하지 않은 존재가 되어 공간 속을 부유하는 듯이 느껴진다는 평이 많았다. 〈소요산〉 역시 계단에 여자가 앉아 있는 복도 씬이나 옥상 씬, 침실 씬 등에 따라 카메라 높이가 미묘하게 다르다. 그걸 일일이 이론화하자면 할 수도 있겠지만, 솔직히 생각하고 계산해서 결정하는 것은 아니다. 순간적으로 또 직관적으로 이것이 맞다, 라고 생각되는 위치에 카메라를 놓고 앵글을 잡는다. 극영화에서도 마찬가지이다. 〈그 집 앞〉에서 여성 주인공이 자위행위를 하는 6분 롱테이크는 극도로 타이트한 클로즈업으로 얼굴만을 어루만지듯 보여준다. 〈두 번째 사랑〉에서 정사 씬들을 촬영한 카메라의 위치는 남녀 주인공이 서로에게 느끼는 감정에 따라, 두 사람의 역학 관계에 따라 지속적으로 변화한다.

이렇게 말하고 보니 카메라의 시선을 결정하는 순간이 오면 나는 그 피사체를 내 몸이라고 생각하는 게 아닐까, 라는 생각이 문득 든다. 그건 어쩌면 내 첫 작품이었던 〈김진아의 비디오 일기〉에서 유래한 접근 방식이 아닐까. 내게는 카메라로 무언가를 촬영한다는 행위 자체가 '보존'의 시도이고 상징적으로 이야기하자면 '포옹'의 시도이다. 그런 행위에는 당연히 시간을 거슬러 망각으로부터 지켜내고 껴안고 싶은 피사체에 대한 존중과 애정이 담겨 있다. 조금 위험한 발언을 하자면, 생명을 키워낼 수 있는 여성의 몸을 가진 내가 촬영하는 피사체는 어쩌면 다 나일지도 모르겠다. 이런 태도는 나쁘게 말하면 공감 과잉의 산물이라고 볼 수도 있겠지만 아무튼 이미지를 착취하거나 대상화하는 방식과 다른 방식임에는 틀림없다.

재현의 윤리학은 매우 어려운 문제입니다. 감독님이 부딪힌 딜레마나, 이를 극복하기 위해 기울인 노력이 있다면 어떤 부분이 있을까요?

좋은 예술에 있어 형식과 내용은 분리될 수 없다. 이 내용을 이 형식으로, 이러한 미학적 전략으로 풀었더니 성공적인 작품이 되더라 해서 또다시 비슷한 내용의 작품에 그 형식을 편리하게 적용해서 쓰면 다시 성공적인 작품이 자동으로 나오는 것은 아니라는 거다. 좋은 예술 작품에서 형식과 내용의 관계는 화석처럼 표본이 되어 공식화할 수 있는 것이 아니라 유기적으로 살아 움직이는 동력 관계이다. 이 방법이 옳구나! 결론 내려 만병통치 공식으로 설정하고 그것을 여기저기 적용하기 시작하는 순간, 예술은 썩어 들어간다.

재현 윤리에 있어 일반론을 말하는 것이 위험한 이유도 이와 비슷하다. '대상의 이미지를 착취하지 않는다',

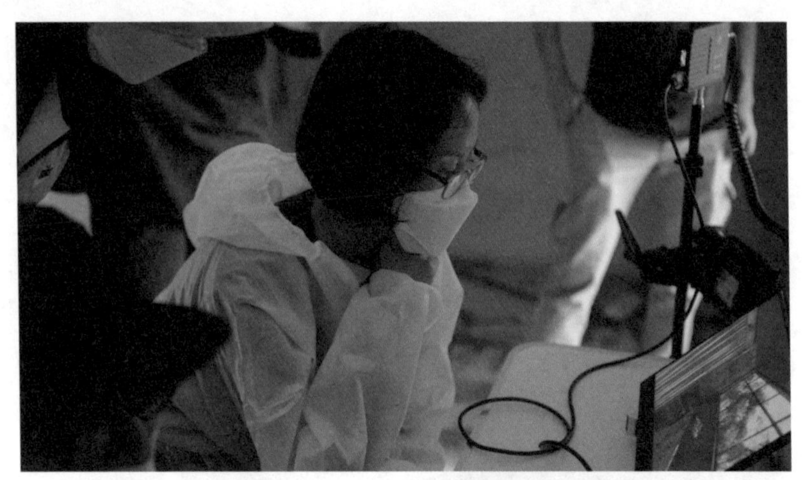

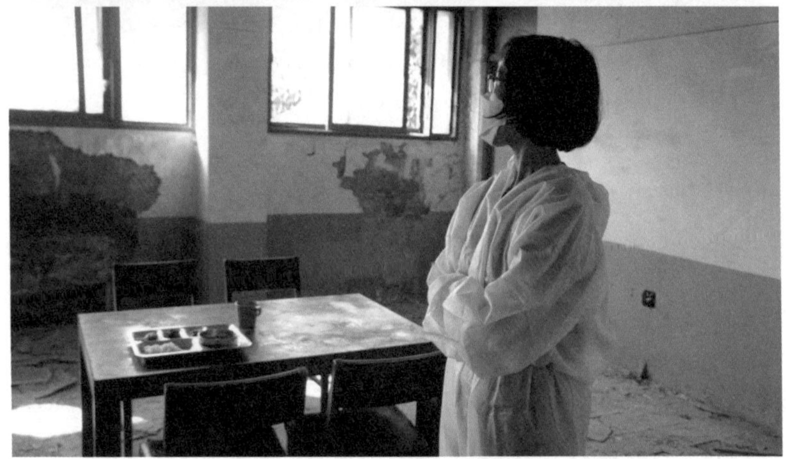

〈소요산〉 촬영 현장의 김진아 감독

‘관객에게 공감을 강요하지 않는다’ 등등 여러 일반론이 있겠지만, 이런 일반론은 원칙일 뿐, 개별화된 구체적인 사안에 적용하려 들면 상상할 수 없을 정도로 복잡해진다. 영화를 만들며 만나는 인물들과 장소, 사건들은 모두 고유한 개별적 상황이며, 그 상황을 영화적 매체에 담아내며 부딪히는 딜레마 역시 그렇다. 주제와 주제를 구현하는 대상, 사용하는 매체에 따라 매번 새로운 윤리적 관계를 정립하는 노력을 해야 한다. 하지만 역으로 그렇게 재현 윤리의 일반론을 거부하는 것 자체가 첫걸음이 될 수는 있겠다. 창작은 계속 변화하고 살아서 움직이는 ‘과정’이다. 그러니 매번 힘들게 답을 찾는 것만이 답이다. 재현 윤리의 문제도 마찬가지이다. 어려운 매듭은 어렵게 푸는 것이 맞다.

그래서 오히려 좀 마음을 비우는 것도 중요하다. 의미 있는 일을 하려고 애쓰는 것은 나만이 아니며, 나는 내 자리에서 내가 할 수 있는 최선을 다하고 있지만, 그것이 크게 보면 얼마나 사소하고 작은 일인지 깨닫는 것이다. 그리고 나의 방법만이 옳지는 않다는 것, 심지어 내가 틀릴 수도 있다는 것을 늘 기억하며 작업해 나가는 것도 도움이 된다.

당장 어제 일어난 일이 너무 낡은 뉴스인 것처럼 느껴지는 시대에 30년이나 지난 이야기를 하는 것은 어떤 의미일까요?

미군 위안부 문제를 낡은 이야기나 지나간 이야기라고 보지 않는다. 현재진행형의 문제이기 때문이다. 지속적으로 축소되고 있다고는 해도 아직도 대한민국에는 미군 기지가 있고 그 주변에 미군의 편의를 위해 세워진 기지촌들이 있다. 대부분의 기지촌 안에 한국 여성들은 이제 없지만, 외국인 성 노동자 여성들이 지금도 그 안에서 일하고 있다. 이렇게 현재진행형이기 때문에 하기 어려운 이야기이고 정치적으로도 민감한 문제이기에 자주 언급되지 않는 문제이기도 하다. 한국 내에서는 진영을 떠나 모두에게 불편한 진실이고, 한국 밖에서는 세계의 패권을 쥐고 있는 미군의 심기를 거스르는 하기 어려운 이야기이다. 하지만 불편한 진실이기 때문에 언제까지고 눈을 감고 덮어둘 수 있을까? 한때 남한 가용 면적의 17퍼센트를 넘었다는 미군 기지와 지금도 존재하는 기지촌, 60년대 남한 GNP의 25퍼센트를 외화로 벌어들였다는 미군 위안부 여성들의 이야기를 하지 않고 한국의 오늘을 이야기할 수 있을까? 강자만을 대변한 역사, 피해자의 입장에서 서술되지 않은 사건, 청산되지 못한 범죄는 과거가 아니라 현재의 문제이다.

현재 구상중인 차기작이 있으신가요?

새로운 매체 작업이라면 아마 인공지능(Artificial Intelligence)을 이용한 작업이 될 것 같다. 미국에서 최근 일어나고 있는 동양인 혐오 범죄는 상상을 초월한다. 미국 사회가 이렇게까지 나와 다른 타자에 대해 적대적인 혐오 사회가 된 이후 차별이라는 것, 반대로 나와 다른 타자에 대한 관용이라는 두 가지 화두에 대해 깊이 생각해 보게 되었다. 구체적인 내용은 아직 밝힐 수 없지만 인공 지능 기술과 MR(Mixed Reality, 혼합현실) 기술을 접목해서 인종 차별에 관한 심리 분석적 작업을 하게 될 것 같다.

그러나 더 먼저 완성될 차기작은 미군 위안부 3부작의 마지막 3부일 것 같다. 〈동두천〉과 〈소요산〉을 만들면서 기지촌의 지리적 물리적 흔적이 사라지기 전에 촬영을 해야 한다는 시간적 압박을 많이 느꼈다. 3부를 준비하면서는 더욱 그런 생각이 든다. 현재 준비하는 3부도 앞서 두 작품과 마찬가지로 공간이 중요한 작품인데 여러 가지 이유로 인해 지역 전체가 곧 사라질 위기에 놓여 있다. 이미 사라진 부분을 시각적으로 복원하기 위해 손상되어 일부만 남아 있는 건축물이나 공간을 디지털로 복원하는 기술, 여러 AR(Augmented Reality, 증강현실) 기술 등을 실험 중인데, 어쩌면 아이러니하게도 세 작품 중 가장 시각적인 작품이 나올 수도 있겠다는 생각이 든다.

동시에 미군 위안부에 관한 장편극영화 작업도 추진 중이다. VR 3부작을 만들면서 같은 주제를 장편극영화로 어떻게 풀어낼 수 있을지에 대한 어렴풋한 계획과 용기가 생겼다. '윤금이 사건'이 있었던 1992년 이후, 정확히 30년이라는 세월이 지났으니 참 오래 걸렸다는 생각이 들기도 하지만, 통상 '보여주기'에 주력하는 영화 매체를 활용할 때 재현의 윤리라는 게 그만큼 풀기 어려운 문제라는 뜻이기도 하다. 많이 돌아왔지만 과정이 생략될 수 있는 일은 아니었다. 거듭 강조하자면, 어려운 매듭은 어렵게 풀어야 하는 거니까.

고등어

고등어는 연필 드로잉과 회화를 중심으로 활동하는 미술 작가다. 그의 독특한 재능은 응축된 한 장의 그림으로 마치 한 편의 영화를 보는 듯한 착시를 일으킬 만큼의 집약된 서사를 담아낼 줄 아는 데 있다. 작가는 신체와 감정의 섬세한 관찰자로 시선과 편견에 대해 질문하는 작업을 해오고 있다. 시스템 속에서 추락하는 남성, 사라지는 문학 속 캐릭터, 이주 노동자, 탈북 여성 등 사회에서 지워지는 이들에 대한 존중과 그들을 바라보는 통념적 시선에 대한 고찰을 작품에 녹여내고 있다. 고등어의 드로잉은 종이와 연필이라는 가장 평면적이고 소박한 재료가 소환할 법한 모든 가능태로서의 그림을 제시한다.

2008년 개인전 『웃는다, 빨간 고요』와 국립현대미술관 『젊은 모색』을 기점으로 본격적인 전시 활동을 시작했고, 최근에는 무빙 이미지 작업과 애니메이션도 선보이고 있다. 코너아트스페이스(2015), 소마미술관(2017) 등에서 개인전을 가졌다. 탈영역우정국(2018), 서울대학교미술관(2018-19), 아트스페이스풀(2019), 뮤지엄 산(2020)에서의 전시 및 강원국제비엔날레(2018), 서울미디어시티비엔날레(2021) 등에 참여했다.

고등어가 만든 두 편의 애니메이션은 작가가 일일이 수작업으로 그린 핸드 드로잉으로 평면의 이미지에 물성을 부여하려는 작가의 헌신적인 노력이 담겨 있다. 〈Timeline for ending 애도일기×해저2만리〉(2018)는 문학을 원작으로, 상실을 겪고 다른 세계로 나아가는 이들을 그렸다. 쥘 베른(Jules Verne)의 고전 과학 소설 『해저 2만리』와 롤랑 바르트(Roland Barthes)의 수필 『애도 일기』는 시대와 내용에서 전혀 연관성이 없던 두 편의 문학이었지만 고등어를 통해 상실과 무너짐의 끝에서 새로운 세계를 찾아가는 하나의 연결 지점을 찾았다. 상실은 무언가가 사라지고 없어지는 것이지만 그것이 세상의 끝은 아님을 작가는 담담히 드러낸다.

〈공동 고백〉(2021)은 탈북 여성들이 국경을 넘어 제3국으로 탈출하는 과정에서 느끼는 감정을 그려낸다. 여기서는 미디어에서 보도하는 문제적 사건보다는 그 과정에서 이 여성들이 느꼈던 심정을 형상화하기 위해 탈출이라는 서사를 차용한다. 이야기보다는 감정을 느끼는 신체들이 탈출의 여정에서 어떻게 변화해 가는지를 드러낸다.

고등어는 자신의 마음에 상응하는 하나의 이미지에 도달할 때까지 시각적 추구를 놓지 않겠다는 의지를 밀어붙이는 작가로, 언어로 표현되지 않는 감정과 느낌을 이미지로 형상화하기 위해 매체의 확장성을 탐구한다. 또한 그 작업들은 우리가 몰랐던 새로운 이야기를 발명하는 것보다, 인간의 내면에 숨겨진 감정을 구체화할 용기야말로 인류가 여지껏 완성하지 못한 이야기라는 것을 제시한다.

고등어 홈페이지

「살갗의 사건 15」, 종이에 연필, 30.5×23cm, 2016

「얇은밤」, 종이에 연필, 50×35cm, 2018

이름이 특이하게 고등어예요. 직접 지었나요?

네, 제가 본명을 별로 좋아하지 않았습니다. 그 이름을 들었을 때 어떤 고정된 이미지가 떠오르는 것 같기도 했고, 이십 대 초반에 친구들과 한참 자신이 선택한 이름으로 불렀는데 그때 고등어로 지었고 영어로는 Mackerel로 했습니다. 지금은 니체를 별로 좋아하지 않지만 이름을 지을 당시에 그의 철학책을 찾아 읽던 때라 뤼디거 자프란스키(Rudiger Safranski)가 지은 책 『니체』를 읽었는데 자프란스키라는 성의 어감이 멋있어서 Mackerel Safranski로 붙인 것이고 별다른 뜻은 없습니다. 다음 주에도 한 외국 큐레이터를 만나기로 했는데 이름 때문에 제가 외국인인 줄 알았다고 합니다. 제가 어느 나라 사람인지 모르는 것도 괜찮은 것 같다는 생각을 종종 하게 됩니다.

그림을 그리다가 영상 작업을 하게 된 계기가 있나요?

드로잉과 페인팅이 저의 주작업이긴 합니다. 그런데 예전부터 어떤 시간이 있는 듯한 느낌이 드는 장면을 그리는 데 관심이 있었습니다. 사람들이 제 작업에서 드러나는 내러티브를 흥미로워하기도 하고, 저 또한 내러티브의 발생에 관심이 많았던 터라 그냥 이야기를 한번 만들어 볼까? 싶어서 시작해 보았습니다. 영상이 익숙한 세대여서 그런지 이야기를 생각하면 자연스럽게 영상 매체를 떠올렸던 것 같습니다.

첫 드로잉 애니메이션 작업은 〈애도 일기〉(2013)였는데, 롤랑 바르트가 쓴 동명의 책을 읽고 영감을 받아 했던 작업입니다. 80장의 물감 드로잉을 순차적으로 타임라인 위에 올려서 애니메이션으로 만든 작업이었는데, 원작 『애도 일기』는 어머니를

잃은 작가가 느끼는 슬픔과 애도의 과정을 기록한 일기입니다.[1]

1. 『애도 일기』는 프랑스 비평가 롤랑 바르트가 어머니가 돌아가신 다음 날 1977년 10월 26일부터 1979년 9월 15일까지 쓴 일기를 모은 책이다. 작가는 1980년 3월 26일 사망했다.

당시에 저는 남성 신체와 그 신체가 놓인 상황에 관심이 많았습니다. 남성은 저에게 반대편에 있는 타자이기도 하고, 제가 온전히 이해할 수 없는 대상이어서 그런 것 같기도 합니다. 한참 신체가 가지고 있는 사회문화적인 권력에 대해 작업을 하던 시기가 있었습니다. 그때는 시스템 안에서 권력을 가지고 있던 남성이 어떤 상실을 계기로 무너지는 것이나 그가 믿고 있는 공허한 신념에 관심이 있었던지라 이 책에서 묘사하고 있는 상실이 〈애도 일기〉 작업의 동기가 되었습니다. 영상의 전개는 책의 내용과는 같지 않습니다. 전혀 다른 내용이죠. 책이 어머니와의 일화를 곱씹으며 생의 순간을 추억했다면, 저는 어머니의 사망 후 펼쳐지는 장례식 풍경과 자신의 세계를 버리고 숲으로 향하는 남자를 그렸습니다. 문학은 어떤 순간들이 켜켜이 쌓여가면서 점진적으로 감정을 만들고 형상화할 수 있잖아요. 저는 순간이 응축된 드로잉을 통해 장례식이라는 구체적인 상황을 그려, 7-8분이라는 짧은 타임라인 위에서 상실의 감정을 집중적으로 드러내려 했습니다.

〈애도 일기〉는 작업을 하고 거의 공개를 하지 않았는데 몇 년 뒤에 일민미술관에서 우연히 보시고 연락을 주셨습니다. 쥘 베른의 『해저 2만리』에 관한 전시를 기획 중인데 제게 스톱모션 애니메이션에 대한 작업을 제안하시더군요.[2] 미술관에서 보내준 쥘 베른의 『해저 2만리』 책을 리서치하고 읽어나가면서, 끝 부분에 묘사된 침몰에 관한 문장들을 가지고 작업을 하고 싶다는 생각이 들었습니다. 기존의 〈애도 일기〉 작업의 틀에 기반하여 〈해저 2만리〉의 결말 구조를 설정하고 100장의 물감

2. 일민미술관, 『플립북(Flip Book): 21세기 애니메이션의 혁명』전(展), 2018년 5월 18일-8월 12일.

드로잉을 그렸습니다.

> 폭풍우가 휘몰아치는 바다 / 난파된 함선들 / 계속해서 폭탄 공격을 하는 함선을 노틸러스호가 어떠한 지점으로 유인하는 장면 / 노틸러스호가 하강하고 쫓아오던 함선을 격퇴 / 다시 폭풍우가 몰아치면서 소용돌이가 굽이치기 시작 / 네모 선장과 선원들이 노틸러스호의 침몰을 선택하는 것 / 박사와 캐나다인의 탈출 시도 / 탈출에 성공하면서 노틸러스호가 소용돌이 속으로 사라지는 것
>
> — 작가가 정리한 〈해저 2만리〉 결말 구조

저는 지금도 네모 선장이 죽지 않았을 거라고 생각합니다. '그들은 침몰이 아닌 다른 이동을 선택한 것일 수도 있다. 또 다른 세계로 갔을 것이다'라는 생각이 책을 읽으면서 강하게 들었습니다. 네모 선장과 선원들이 육지가 아닌 바다의 삶을 선택했던 것처럼 소용돌이 속으로 들어간다는 게 또 다른 세계를 선택하려는 건지도 모른다고 생각했습니다. 〈애도 일기〉 마지막 부분에 상실을 경험한 한 남자가 숲으로 가는 것도 새로운 세계로 가는 거라고 봤기 때문에 이것이 〈해저 2만리〉의 침몰과 서로 연동되면 좋을 것 같아, 둘을 나란히 좌우로 배치했습니다. 상실을 경험한 사람이 이 세계를 벗어나 다른 세계로 나아가는 지점이 유사하다고 봤습니다. 그렇게 작업한 것이 일민미술관에서 2018년에 전시한 〈Timeline for ending 애도일기×해저2만리〉입니다.

두 개의 분산된 작업을 합친 결과는 어땠나요?

처음 생각보다 작업 결과가 더 좋았던 것 같습니다. 만들고 보니 두 영상이 서로 영향을 주면서 또 다른 이야기의 구조를 만들어나가는 게 보였습니다. 침몰과 상실한 사람, 소재는 이 두 가지

밖에 없는데 이게 단지 하나의 시간대 위에 함께 놓였다는 이유로 서로 맞물리면서 또 다른 의미를 생성해 나가는 것이 좋았습니다. 〈애도 일기〉의 경우 제가 내용을 새롭게 구성하고 내레이션도 직접 쓰고 장면도 내용에 맞게 플롯을 구상했다면, 〈해저 2만리〉는 기존에 이야기가 구성되어 있어 소설의 문장에서 떠오르는 즉흥적인 이미지들을 빠른 속도로 그려 나갔습니다. 결과적으로 이 작업은 그 개별의 이미지보다 두 작품이 나란히 놓이면서 또 다른 이야기가 발생하는 게 더 중요했던 것 같습니다.

드로잉부터 영상까지 작업에 숲이 자주 등장합니다. 작가에게 숲은 어떤 의미인가요?

제 그림에는 숲에서 벌어지는 상황이 많이 나옵니다. 초기 그림을 그릴 때는 숲을 큰 테두리로 봤습니다. 그런데 시간이 지나면서 자연물에 대한 생각도 계속 변하는 것을 느낍니다. 20대 초반에 저는 이 세계가 좋은 세상이 되길 바랐던 거 같습니다. 그리고 세계를 숲으로 생각하기도 했습니다. 제가 숲에 있는 사람을 그리는 것도 제 세계관 자체가 사람은 어떤 시스템 안에 놓여 있다는 걸 인지하는 데서 오는 거 같습니다. 한 인간이 어떤 환경 안에 놓여 있는데 이걸 뚫고 나갈 수 있을지, 환경을 이겨낼 수 있는지에 대해 관심이 많았습니다. 또 한편으로는 (정반대되는 의미일 수 있지만) 숲은 제게 가장 혼자 있는 공간이자 편안한 곳입니다. 어린 시절 아버지와 동생과 함께 숲이나 산에 갔던 적이 많은데 깊숙이 들어갈수록 모든 게 차단돼 있는 듯한 감각 때문에 그곳에 있는 경험을 무척 좋아했습니다. 어떻게 보면 공유될 수 없는 것을 풀어놓을 수 있는 내밀한 장소이자, 무언가를 겪어내는 공간이고, 또 외부의 강요가 덜한 곳인 거죠. 그런 장소로 모두가 공유하는 곳이 아니라 본인만 아는 숲이라고 생각을 했습니다. 〈Timeline for ending 애도일기×해저2

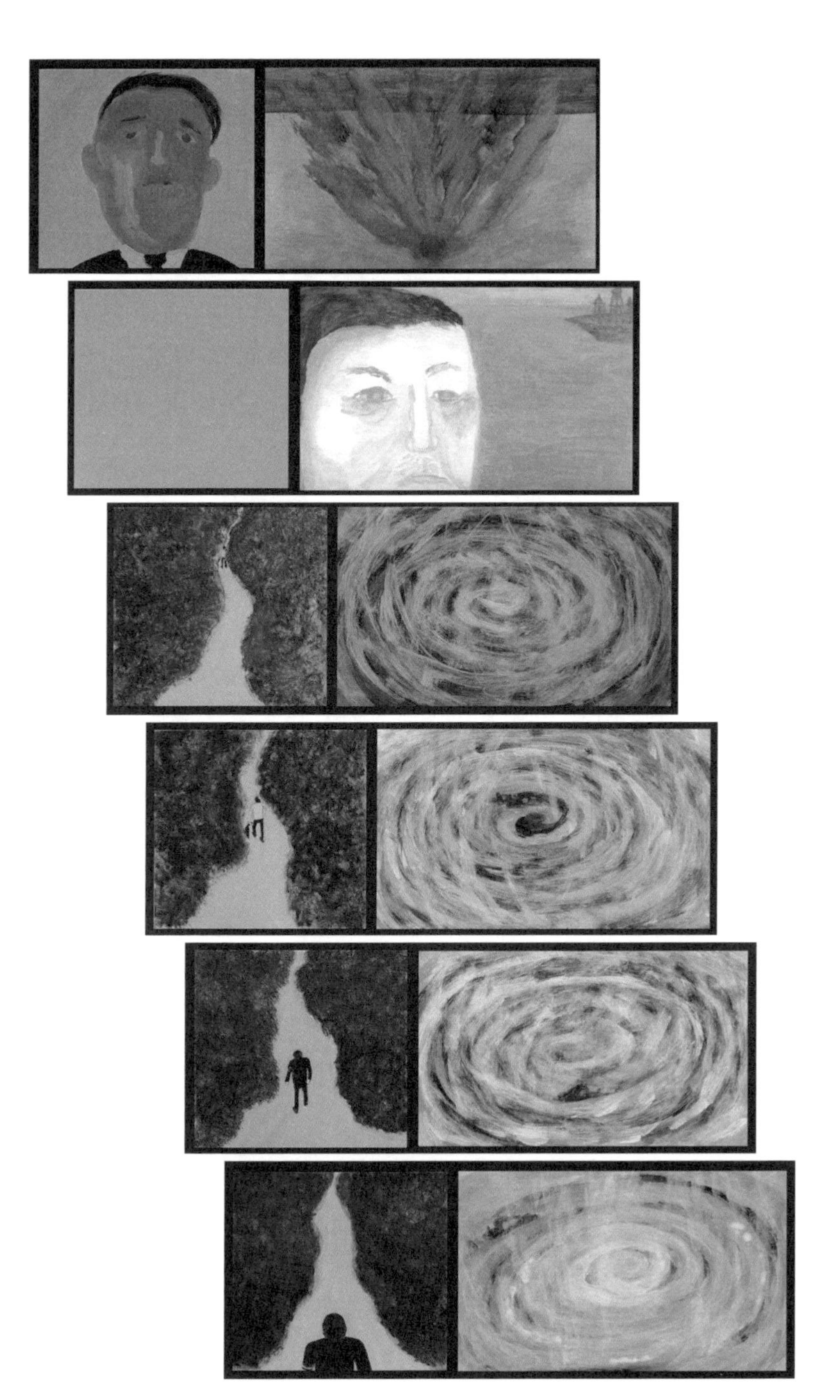

〈Timeline for ending 애도일기×해저2만리〉
결말 장면 중 일부

만리〉에서는 이 사람이 숲으로 가는 게 다시 태어나기 위해서이기도 하지만 영원히 숨기 위해 가는 거다, 라고도 생각했습니다.

관객으로 예상치 못한 것 중에 하나는 내레이션이 프랑스어로 나오는 거였어요

〈애도 일기〉는 롤랑 바르트가 어머니를 상실한 자신의 이야기를 하는 내용이라 거기서 모티브를 얻어 프랑스어로 내레이션을 했습니다. 물론 제가 불어의 청각적 이미지를 좋아하기 때문이기도 하고 원작이 프랑스어로 쓰였다는 이유도 있었어요. 마침 제 가까운 곳에 불어를 하는 원어민이 있었고, 번역이 가능한 사람도 있어서 제반 사항을 준비하는 흐름이 자연스럽게 프랑스어로 갔습니다.

외국어에 관심이 많으신가 봐요.

그렇다기보다 저는 어쩔 때 한국어가 조금 힘이 듭니다. 언어에는 청각적 이미지가 있잖아요. 〈Timeline for ending 애도일기×해저2만리〉도 프랑스어 내레이션을 골랐던 건 모국어가 주는 청각적 이미지가 세다고 생각했기 때문입니다. 모국어가 주는 안락하고 부드러운 느낌이 있기도 하지만, 반면에 언어의 구조에 신체가 깊이 박혀버리는 듯한 느낌 또한 동시에 작용하는 것 같습니다.

청각적 이미지가 세다는 게 어떤 의미인가요?

예를 들면, 서울미디어시티비엔날레 전시로 〈공동 고백〉이라는 드로잉 애니메이션을 만들 때 도망치는 두 여성이 편지를 주고받는 내레이션을 생각하고 작업을 시작했습니다. 작업을 하던 중간 과정에서 비엔날레 측과 몇몇 부분을 논의하기도 했었는데 자막으로 표현된 부분은 한국어로 내레이션을 했으면 좋겠다고 제안을 주셨습니다. 그런데 저는 이 작품에 한국어 내레이션을 입히면 내러티브가 감정적으로 더 드라마틱해진다고 생각을 했습니다. 제가 한국인이어서 저에게는 한국어 사운드가 굉장히 직접적이기 때문에 언어 자체가 이미지에 감정을 보태는 역할을 하기도 하고 감정을 극적으로 증폭시키기도 한다고 생각했습니다. 그래서 내레이션으로 프랑스어를 고려하기도 했었는데(도망치는 여성들이 살아내기 위해 현지어를 습득해야 하는 상황을 생각해 외국어로 내레이션을 해도 좋겠다고 생각했습니다) 프랑스어가 주는 낭만적인 질감이 탈북 여성의 탈출 과정의 감각을 무뎌지게 만들 수 있다는 의견이 있어서 많은 고민을 했습니다. 결론적으로 텍스트나 내레이션을 빼고 이미지로만 구성하게 됐는데 오히려 결과가 좋았던 것 같습니다. 직접적인 드로잉 이미지와 텍스트의 이미지, 언어의 이미지가 충돌하면서 마모되는 부분들 없이, 드로잉 이미지와 사운드만을 가지고 플롯을 끌어갔던 것이 더 많은 것을 전달할 수 있었습니다. 만약에 드로잉 이미지가 추상적이거나 비언어적이라면 언어를 사운드나 내레이션으로 사용해도 좋을 것 같기도 합니다. 구체적인 사건을 연상시키는 이미지에 내레이션이 있을 경우 마치 삽화처럼 설명적으로 되기도 하는데 그것이 이 작품의 방향과는 맞지 않다고 생각했습니다. 그리고 무엇보다 목소리와 언어가 만나면서 감정이 달라붙게 되는 자동적인 이미지의 연동이 저는 부담스러웠던 것 같습니다.

고정된 이미지의 연상을 거부하는 작가가 탈북 여성의 탈출과 같은

그동안 여성 인권에 대한 생각이 있었지만 직접적으로 드러내는 작업을 많이 하지는 않았습니다. 탈북 여성들의 탈출 과정을 조사하다 보니 이들이 폭력적인 상황에 처하거나, 모종의 시스템의 착취 구조에 놓이기가 쉽다는 걸 알게 되었습니다. 리서치를 하면 할수록 제가 여성이기도 하고, 한국말을 하는 검은 머리 여성으로 이 시스템 속에 살아가는 것이 그분들과 다르지 않다는 생각이 들었습니다. 마침 이 작품을 전시한 비엔날레의 주제가 '탈출하다(escape)'여서 평소에 관심이 있던 탈북 여성에 대해 리서치를 하고 작업을 해나갔습니다. 그런데 코로나로 인해 전시 일정이 1년 미뤄지면서 인터뷰를 하고 작업을 더 깊게 진행하게 되었고 고정된 탈북 여성 이미지에서 벗어나 스스로의 인생을 살아가고 있는 탈북 여성들의 이미지 재생산에 대해 고민을 하게 되었습니다. 그리고 이 작업이 그들이 벗어나려 했던 이미지를 재생산하는 것이 되면 안 된다고 생각했습니다. 기존의 페인팅 작업에서는 기술적인 부분이 고민이 많았는데 이 작업에 있어서는 내용적인 부분에서 고민이 많았던 것 같습니다. 제가 살아 있는 대상의 이미지를 만들고 있다는 자각이 들면서 '이 이미지가 그들에게 온당한가?'라는 질문을 끊임없이 하게 되었습니다. 저도 여성으로서 폭력의 대상으로 고착화된 피해자의 이미지, 그 대상화된 이미지에서 벗어나고 싶기에 삶을 주체적으로 실현시켜 나가는 여성의 이미지와 어려움에 처한 여성의 이미지 사이에서 무엇을 이야기하고 싶은지 스스로에게 질문을 하며 작업을 하였습니다. 그리고 그런 질문의 과정이 무겁게 느껴지기도 했지만 많은 것을 생각할 수 있었던 작업이었습니다.

직접적인 사건을 작업을 하기로 마음먹는 게 쉽진 않았을 것 같은데요.

리서치를 통해 얻은 사실이나 느낌을 재현한 드로잉을 보면서, 이 드로잉 중에 탈북 여성이 자신의 이미지가 되지 않기를 바라는 이미지가 있을지 모른다는 생각을 했습니다. 그리고 자신의

작품에 많은 요소를 채워넣기 보다 최소화하는 작업

스타일은 작가의 윤리적 고민의 결과인가요?

이미지가 타인에 의해 덧입혀지는 것이 아닌, 스스로 자신의 이미지를 선택하는 액션이 작업에 드러나기를 바랐습니다. 그래서 리서치 과정에서 만난 탈북 여성분을 작업실로 초대해 310장의 물감 드로잉을 펼쳐놓고 이 중에 본인의 이미지가 되지 않았으면 하는 장면과 외부에 공개되지 않길 바라는 이미지를 선택해 달라고 했습니다. 영상을 보시면 이미지들 중에 흰 바탕에 번호만 써 있는 게 있습니다. 그건 모두 제가 그렸던 드로잉 중 탈북 여성분이 선택하신 이미지를 뒤집어 놓은 것입니다. 서른 장 정도의 이미지를 선택하셨는데 제가 예상하지 못했던 이미지들도 있었습니다. 탈북 여성분들은 자신들의 이미지가 한국 미디어에서 나약하거나 힘들고 때로는 거칠게 대상화되어 있다는 것을 알고 있었고 이러한 이미지를 변화시키고 싶어 하셨습니다. 인터뷰 중에 자신들의 이러한 이미지를 변화시키기 위해 살고 있다고 하신 부분이 인상 깊었고 작업의 중요한 동기가 되었습니다. 이 아이디어를 처음부터 계획했던 건 아니지만 〈공동 고백〉의 특징적인 부분이 됐고 제게는 중요한 지점이 되었습니다. 이 작업을 하면서 우리는 어쩌면 그들과 똑같이 우리에게 덧입혀진 고정된 이미지에서 매일매일 탈출하고 있다고 생각했습니다. 타인이 규정한 이미지로 결정당하는 대신 자신이 재현하는 이미지를 직접 선택하고 만들어나가는 이 작업 과정이 그들의 탈출과 닮아 있다고 생각했습니다. 미디어가 여성의 이야기를 재현할 때, 여성들이 원치 않는 이미지로 묘사되면서 원래 그 신체가 갖고 있거나 갖고 싶어 하는 이미지가 아닌 다른 이미지와 붙어버립니다. 저는 최소한 제 작업에서만큼은 신체가 원하는 이미지를 최대한 존중하고 싶었습니다. 일본군 '위안부' 문제와 같이 좀 더 선명하게 과거의 역사가 된 것이라면 드러내는 방식이 다른 맥락을 가질 수도 있겠지만, 탈북

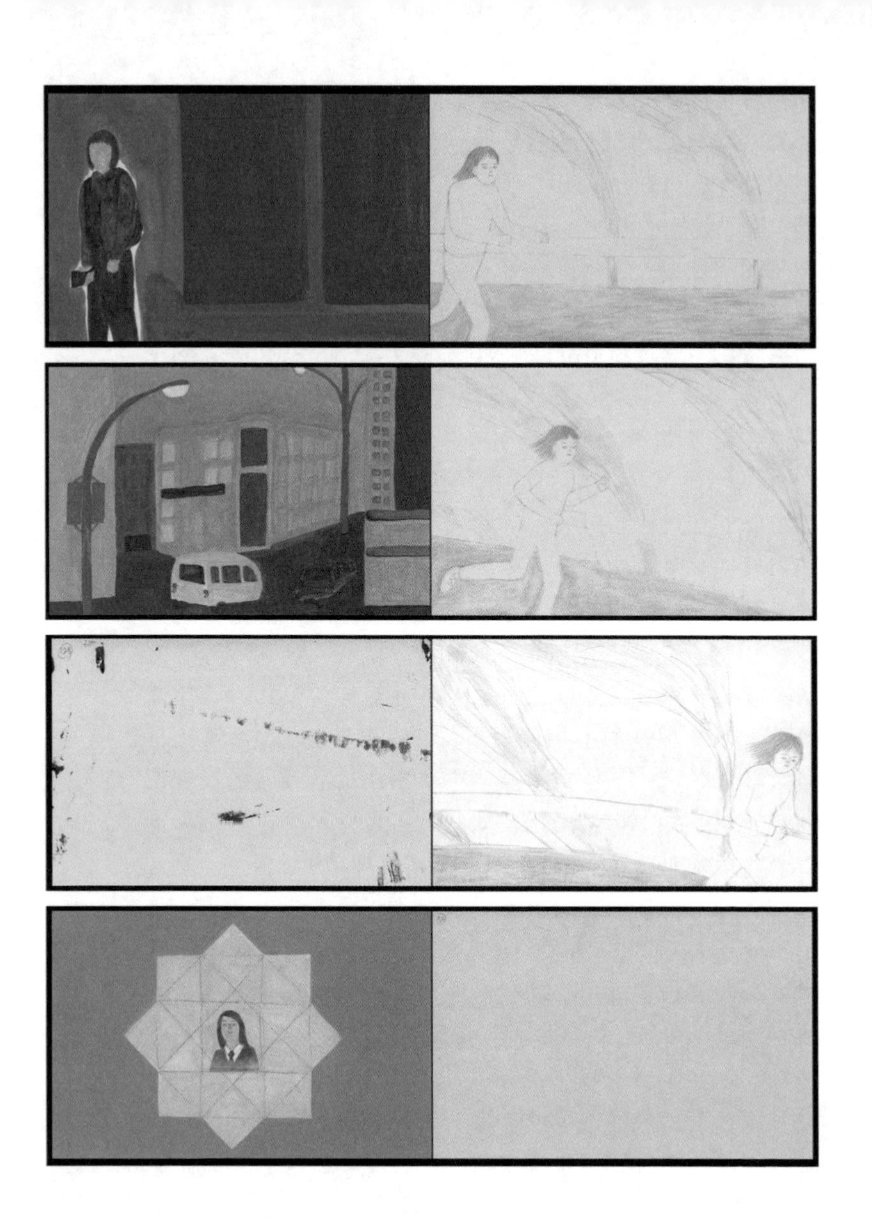

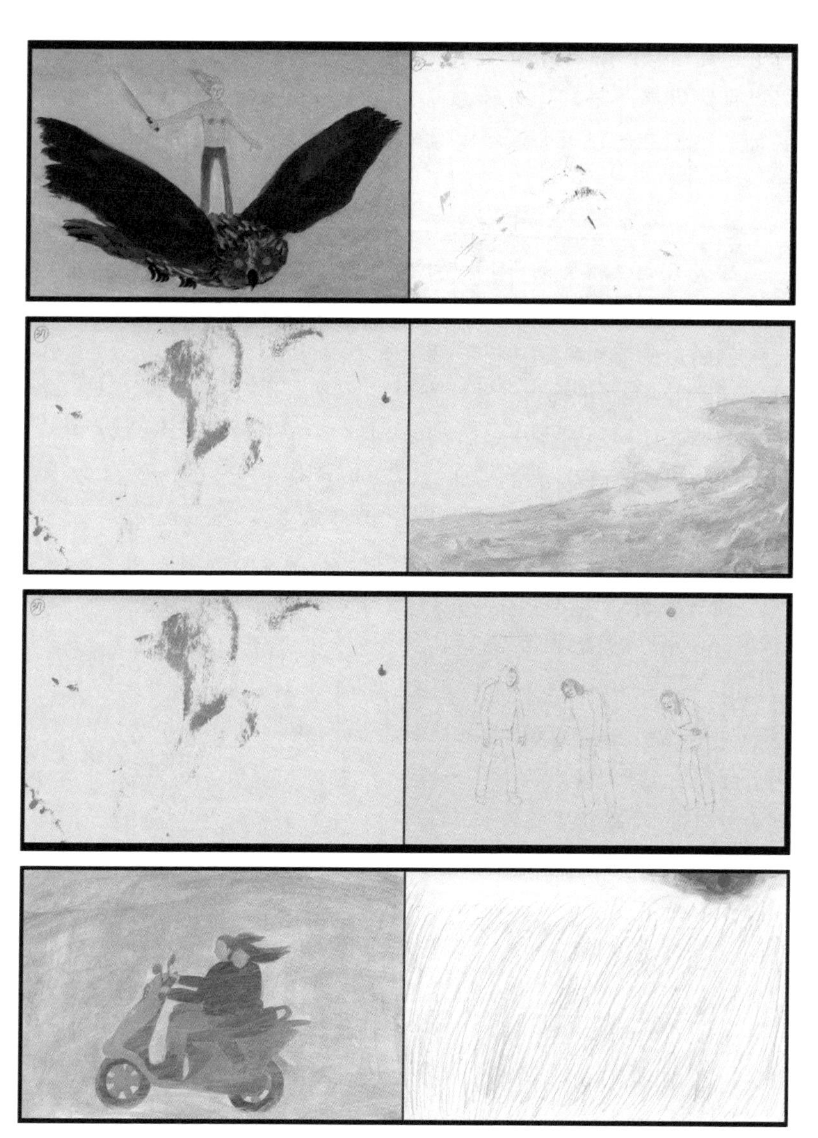

〈공동 고백〉에서 분절된 부분 발췌.
빈 페이지에 번호가 있는 장면들

여성들의 상황은 여전히 현재이고 아직 진행 중입니다. 주요 미디어에서 다루는 방식이 아닌 실재 여성들의 경험과 감정을 편견 없는 시선으로 그려보는 게 중요하다고 생각했습니다.

최종 작업에는 빠졌지만 처음에 계획했던 내레이션은 어떤 내용이었나요?

어디론가 도망가고 있는 한 여성이 공항 근처 호텔에 머물며 친구에게 쓴 편지글이에요. 비행기가 뜨고 지는 걸 바라보다 과거 친구와 거닐던 숲의 기억을 떠올리며 이미지의 표상에 관해 말하는 내용입니다. 이 내용은 탈북 여성들의 책을 읽고 인터뷰를 하면서 깨달았던 색에 대한 이미지에서 출발했습니다. 북한에서 그리고 연변에서 탈출하는 여성들이 중국에서 캄보디아나 베트남으로 넘어갈 때 한밤중이 아니면 한낮에 다닙니다. 모두가 조용히 잠이 들었거나 너무 더워서 길가에 사람이 없는 때 화려한 조명이 가득한 도시를 벗어나 숨어서 도망 다니는 사람들의 이미지를 떠올렸습니다. 사람이 견딜 수 없는 한낮의 태양이나, 서치라이트 같은 광원이 센 빛만 받아 오히려 색이 지워진 사람들에 관해서요. 편지글에 "그때 기억나?" 하면서 하얀 숲을 같이 다녔던 이야기를 계속합니다. 태양이 가득할 때 하얀색의 세계로 들어가는 장면인데요.

> "산에서 보았던 하얀 나무들 기억나?
> 잎사귀와 새순, 가지와 수피 모든 것이 다 하얀색이었잖아.
> 그 산에 있던 모든 나무들이 새하얘져 있었고
> 숲 전체가 하얗게 바래져 있어서 형태를 구분할 수 있게 하는 건 테두리에 대한 기억이었던 거 같아.
> 태양 빛이 가득한 그 숲에서 너와 나의 몸도 점차 하얗게 바래어 갔어.

낮과 밤 사이에서 새하얘진 너와 내가 숲을 거닐며 보았던 것들은 지금도 선명해."

온전히 태양 아래 거닐 수 있는 사람들은 자신의 색을 가질 수 있지만, 숨어 다니는 사람들은 도시 불빛 밖에 있는 사람들이고 서치라이트와 같은 이상한 빛을 받아 몸의 색이 바래서 사는 사람들이라는 것, 그리고 그런 세계가 있다는 걸 이번 작업으로 깨닫게 되었습니다. 시스템의 권력이 편견의 시선으로 사람들을 변방으로 몰아내고 그들의 이야기를 지워내고 있다고 생각했던 계기였고, 이후에 강화도에서 이주 노동자 얼굴을 그린 것도 같은 맥락으로 지금 시스템에 존재하지만 지워진 신체라는 생각 때문인 것 같습니다.[3]

3. 기획전시 강화소창전 『23수 북소리展』. 강화 특산품인 '소창'을 재료로 미술 작업을 한 젊은 작가 5인전.

〈Timeline for ending 애도일기×해저2만리〉처럼 〈공동 고백〉도 화면을 이분할해서 작업하셨어요. 그 형식에 특별한 재미를 느끼는 지점이 있으신가요?

〈Timeline for ending 애도일기×해저2만리〉는 두 이미지가 동시에 나왔다 사라지고, 〈공동 고백〉은 두 이미지의 등장에 시차가 조금 있습니다. 〈공동고백〉에서는 이미지, 사운드, 시간차라는 이 세 가지 요소의 연상 작용을 이용해 시선에 대한 실험을 해보고 싶었습니다. 전시를 할 때는 2채널로 모니터 두 개를 나란히 붙여서 보여줬어요. 한쪽은 일반 미디어에서 묘사되는 탈북 여성의 경험을 토대로 강을 건너려는 여정이 그려지고 다른 한쪽은 당사자들이 느낀 주관적 인상이나 사적 기억을 담은 단편적인 이미지들이 나열됩니다. 왼쪽과 오른쪽 화면이 순차적으로 나올 때와 두 이미지가 동시에 등장할 때 관람객은 이들의 관계를 연상하게 되는데 그걸 완성할 때 본인이 가진 이미지가 내면에 떠오르는 것 같습니다. 이미지를 기계적으로 따라가지만 두 개의 이미지만 보는 게 아니라 보는 사람 자신이 갖고 있는 편견이나 무의식의 이미지가 같이 떠올라서 실은 관람하는 사람은 세 개의 이미지를 본다고 생각해요. 그러니까 작가가 제시한 두 이미지들이 자신의 마음속에서 계속해서 부딪치는 거죠. 두 이미지가 충돌하고 그게 어떤 의미인지 유추하려고 하면서 떠오른 것들. 제게는 그 부딪치는 지점이 중요했습니다.

화면 분할로 이미지를 보여주면서 시간차를 둔 배치를 생각해 낸 건 전작의 경험으로 깨달은 지점이 있었기 때문일까요?

맞습니다. 작업 결과물이 나오기 전에는 두 이미지를 한 화면에 넣을 때 어떤 작용이 있을 거라는 생각을 하지는 않았습니다. 〈Timeline for ending 애도일기×해저2만리〉 작업을 하고 보니 1 더하기 1이 2가 아니라 아예 다른 게 된다는 생각을 하게 되었습니다. 사람들이 저의 연필 드로잉 작업을 볼 때 자신만의 유추를 통해 이야기를 만들려고 한다는 것도 알게 되었습니다. 연필 드로잉 작업은 하나의 작업만을 전시하지 않고 보통 연작으로 열 개의 작품을 늘어놓는 방식으로 전시하는데 이것을 하나의 덩어리, 하나의 작품으로 인식하는 경우가 많았습니다. 저는 드로잉을 각자의 단편적 이야기를 품은 독립적인 존재라고 생각했고, 개별 이미지가 서로 연결돼 어떤 이야기로 전개될 거라고 생각하지 않고 작업을 합니다. 그런데 이들을 함께 전시하다 보니 그 배치로 인해 그림의 잔상이 겹쳐지면서 사람들은 자신만의 하나의 이해관계를 갖게 되는 것 같습니다.

디지털 이미지로

네, 애초에 애니메이션을 만들려고 작업을 시작

한 게 아니었고 애니메이션보다 무빙 이미지에 더 관심이 있던 거 같습니다. 제 초창기 작업은 한 장의 그림 안에 모든 이야기가 다 들어가도록 구성을 했는데 이걸 분절해 보면 어떨까, 그래서 장면과 장면이 넘어가면서 이야기가 되게 해보고 싶다는 아이디어가 떠올랐습니다. 그러나 제게는 기존 애니메이션의 스톱모션처럼 동작이나 움직임으로 인해 사건을 전개시키는 것보다 개별 장면의 이미지가 주는 인상과 이야기가 더 중요했습니다. 요즘은 기술이 상상할 수 없을 정도로 발달해서 디지털 이미지로 무빙 이미지를 만드는 작가들이 많은데 그에 반해 저는 옛날 방식으로 일일이 수작업으로 그림을 그리고, 그걸 또 한 장 한 장 스캔을 해서 작업을 만듭니다. 그러한 방식이 회화적 질감이 묻어나고 물성이 느껴지기 때문에 저에게 더 맞는 것 같습니다.

전통적인 방식의 애니메이션 작업을 해볼 생각은 안 하셨어요?

저는 영화를 봐도 스토리보다는 하나의 장면, 하나의 이미지로 무언가를 기억하는 편입니다. 특히 요즘 들어서는 옛날 일을 떠올리면 전개 과정이 기억나지 않고 한 장면으로 기억나는 게 많아졌습니다. 스냅숏으로 그 장면을 탁 찍은 것처럼. 심지어 까맣게 잊고 있던 과거의 경험이 하나의 이미지로 선명하게 들어와 버리는 경우도 있습니다. 지울 수 없는 이미지의 힘, 전체 상황보다 응축된 장면 하나가 갖고 있는 이미지의 힘이 존재하고, 그건 마치 박혀버린 기억 같은 거라고 생각합니다.

왜 드로잉이라는 정지된 이미지를 선호하는 걸까요?

〈공동 고백〉 인터뷰를 하며 굉장히 즉흥적으로 다가오는 이미지들도 있었습니다. 리서치 과정 중 탈북 여성에게 인터뷰를 했을 때 탈출해서 본 것 중에 생각나는 동물이 있는지 물었더니 당나귀라고 답해 주었습니다. 북한에서 당나귀를 본 적이 없다고 하더군요. 학교 다닐 때 교과서에서 「팔려가는 당나귀」 이야기를 배운 적이 있는데 그 동물이 어떻게 생겼을까 궁금했던 차에 탈북해서 연변에 도착했을 때 시장에서 당나귀 두 마리를 보았다고 합니다. 그 순간 '아, 내가 진짜 그곳을 벗어 났구나' 느꼈다는 이야기를 듣고 당나귀 두 마리를 물감으로 그려 넣었습니다. 또 탈북 전에 명절이 되면 북한에서 중국 불꽃놀이가 보이고 소리도 팡팡팡 들렸다고 합니다. 친구들과 강 건너 환한 빛을 보던 상황을 인터뷰 때 이야기해 주어서, 불꽃과 빛을 드로잉하여 영상에 넣었습니다. 영상 초반에 그녀가 이야기했던 사막과 빛들이 계속해서 나오는데 인터뷰를 통해서만 발생할 수 있었던 이미지들이었던 것 같습니다.

기존의 드로잉을 할 때도 이게 어떤 스토리였으면 좋겠다고 사전에 생각하고 그림을 그리는 것은 아닙니다. 하나의 이미지에서 출발하는데, 예를 들어 꽃이 어떻게 보이는데 둘이 춤을 추고 있으면 좋겠어, 그러면 그걸 그리기 전까지 걸어 다니면서 굉장히 생각을 많이 합니다. 날씨는 어떻지? 그런데 왜 둘이 춤을 추지? 그런 생각을 하다가 어떤 광경, 하나의 장면이 완성이 되면 그때부터 그림을 그리기 시작합니다. 어떤 또렷한 장면을 그려야겠다는 목적이 있다기보다 그게 제가 생각하는 방식인 거 같습니다. 반대로 영상 작업은 노트에 내가 뭘 그릴지 목록을 계속 적고 그걸 옆에 둔 다음 떠오르는 대로 스냅 사진처럼 바로 그려나갑니다. 크게 고민을 하는 것보다 직감적으로 떠오르는 대로 탁탁 속도를 내어 그려요. 쉽고 빠르게 떠오르는 대로 그렸는데 이걸 한 타임라인 안에 놓았을 때 뭔가 형성되는 걸 보는 게 재미있고, 연필 드로잉이나 페인팅을 할 때와는 다른 작업의 즐거움이 발생하는 것 같습니다. 빠르게 그릴 때는 공들여 그리는 드로잉과 달리 스스로에게 환기가 되고, 다른 가능성도 생각하게 됩니다.

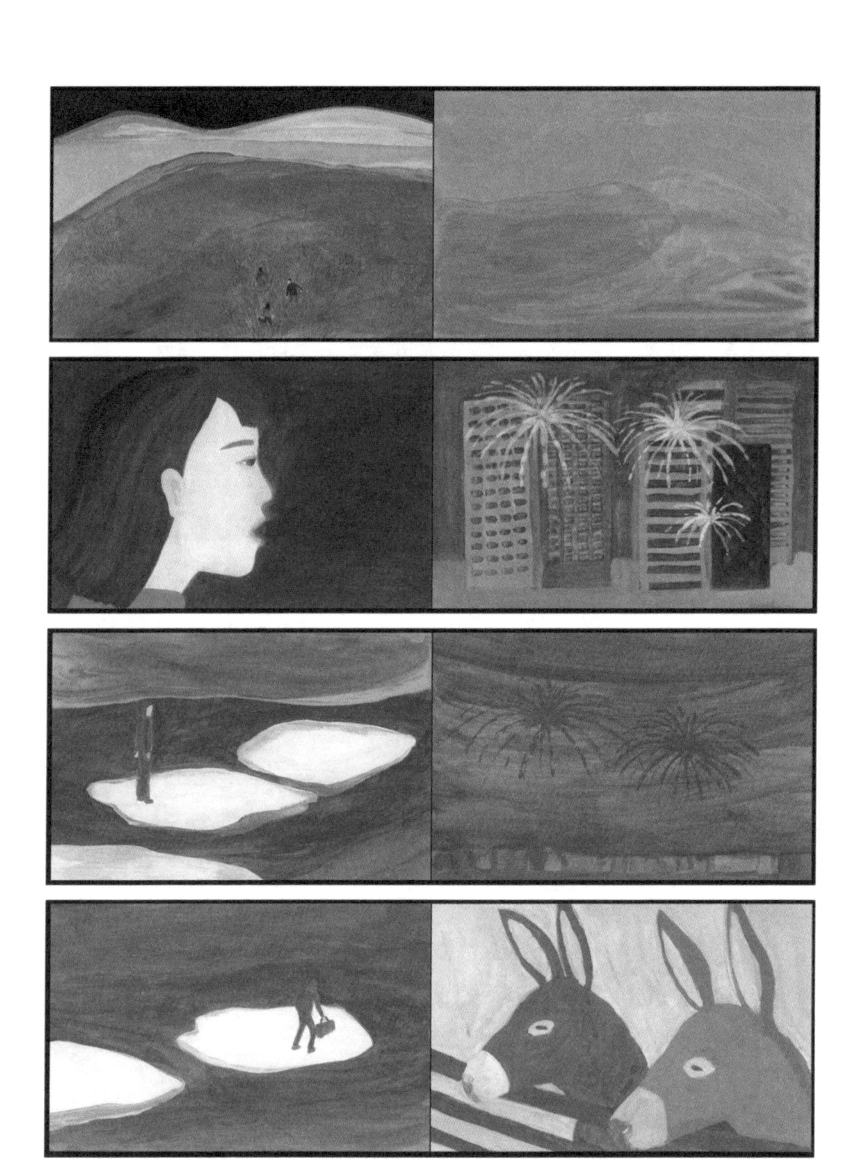

〈애도 일기〉 중 인터뷰를 통해 생성된 사막, 당나귀, 불꽃놀이 장면

사운드도 직접 다 고르고 전체 연출을 하시나요?

그렇죠. 〈해저 2만리〉 도입 장면에 휘파람 소리가 나오거든요. '해저 안에서 한 남자가 휘파람을 불면서 조용히 걸어 다니면 좋겠다' 이런 아이디어가 떠오르면 거기에 맞는 음악의 느낌과 어떤 사운드가 어느 지점에서 나왔으면 좋겠다고 음악 감독에게 요청을 합니다. 〈공동 고백〉에서는 사운드와 음악이 불러일으키는 사운드스케이프가 오롯이 자막이나 내레이션과 같은 역할을 했습니다.

일종의 음악이 감정의 흐름을 만들어내는 시나리오 역할을 한 거네요.

네, 최근에는 더 추상적인 이미지와 서로 관계없는 장면들로 영상을 만들어보고 싶다는 생각을 합니다. 〈애도 일기〉나 〈공동 고백〉은 구상적인 이미지고 내러티브가 확실한데 추상적인 이미지들로만 이루어진 영상 작업을 하면 이미지와 사운드의 접점에서 조금 더 실험을 할 수 있을 거 같습니다.

연필 드로잉 작업도 많이 하셨는데 흑백이어서 무성영화 같은 느낌이 납니다. 연필이라는 재질 때문일까요?

그림 그리기는 어렸을 때부터 즐겨 했고 미술을 전공하지는 않았지만 종종 가볍게 낙서와 같은 드로잉을 하곤 했었는데, 그 때문인지 처음에 쥐었던 연필이 저에게 자연스러웠던 거 같습니다. 작업을 시작하면서 연필과 닮은 단단한 색연필로 작업을 시작했고 색연필로 페인팅을 했었는데 어느 시점부터 색깔을 빼보고 싶다는 생각이 들었습니다. 색이 주는 감정이 어느 정도 소거된 상태에서 장면을 만들어보고 싶다는 생각이 있었습니다. 제가 종종 생각하는 '참담함'이라는 감정이 있는데 연필의 무채색이 주는 막혀버린, 더 이상 감정이 일어나지 않는, 오히려 안도할 수 있는 부분들이 참담함과 닮아 있어서 연필로 표현하는 것을 좋아했던 거 같습니다. 그리고 저는 연필을 흑색과 흰색으로 생각해 본 적이 없고 질감으로만 생각했던 것 같습니다. 색보다는 표면의 느낌이 제겐 더 중요했습니다. 아크릴이라든가 유화 같은 것은 물질성이 강하게 느껴지는 재료인 데 반해 연필은 굉장히 납작하잖아요? 어떻게 보면 거기에 덧칠을 한다 해도 쌓인다는 느낌보다는 뭔가 진해지는, 매끄러워지는 느낌이 생겨납니다. 연필은 그 물성 자체가 칠하는 힘에 따라서 매트하거나 모래알 같은 표면의 질감 차이로 형태와 물질성을 드러낸다고 생각합니다. 그래서 제겐 납작한 평면의 상태에서 어떻게 하면 물질성을 조금 더 극대화할 수 있을까, 이를 통해 사람들이 물질성이 주는 감각이나 감정을 어떻게 전달받을 수 있을지 고민해 봅니다.

자동 연상 되는 통념적인 언어의 이미지나, 감정이 직접적으로 제시되거나, 필요 이상으로 감정이 증폭되는 게 싫은 작가에게 감정은 무엇일까요?

감정이라는 건 어떤 존재에 색을 입히는 느낌입니다. 색이라는 게 그 존재가 실재하고 있고, 살아 있다는 걸 느낄 수 있게 하는 감각적 요소라고 생각합니다. 그래서 제 작품 속에서 감정이 단편적으로 읽히기보다 더 궁금증을 불러일으켰으면 합니다. 감정이 쉽게 읽히면 그 존재에 대해 덜 궁금해지기도 하고, 상황이 끝난 것으로 판단되기 쉽습니다. 그래서 작품 속 상황이 계속 살아 있고 끝이 나지 않았으면 좋겠다고 생각합니다. 계속 거기에 있는, 결말이 나지 않는 상황. 다른 면으로는 저는 어떤 사람도 쉽게 읽을 수 없다고 생각합니다. 그런데 살다 보면 누군가를 단편적으로 평가해 버리는 경우가 많은 것 같습니다. 그러한 단편적인 판단에 대한 거부감이 있습니다. 양가적인 감정이나 의미 자체를 모호하게 만들고 그때 발생하는 의문점이나 빈 공간들이 저에겐 흥미로운 것 같습니다. 재현할 수 없는 감정들, 언어가 되지 않는 감정들을 그림을 통해 형상화하고 싶고 또 그 감정이 놓여 있는 신체, 일반적으로 볼 수 없는 상황에 놓인 신체를 그리고 싶은 거 같습니다. 그리고 그게 제 작품 속에 놓인 신체에 대해 제가 가진 태도인 거 같습니다. 보통 회화 작업은 물질을 드러내어 상황을 묘사를 하거나 대상에 대한 탐구를 지속하는데 저는 쉽게 설명되지 않는 감정을 끝까지 재현하고 싶습니다. 어떤 상황보다는 어떤 감정 상태를 구현하고 싶고 색이나 형태와 같 비언어적인 방식으로 작품을 보여주고 싶습니다.

작가가 불가능한 것을 구현하고 싶은 게 아닌가 하는 생각도 듭니다. 판단과 편가르기가 심해지는 시대에 원치 않는 자신의 이미지를 바꾼다는 게 참 쉽지가 않잖아요.

우리도 색이 바래지고 어떤 시선에 놓인 것을 경험하지만 또 계속 살아가게 되잖아요. 삶을 지속해야 하기도 합니다. 저는 언어화되지 않는 감정을 느끼는 스스로를 놓치지 않았을 때 더 살아 있다고 느끼고, 그걸 놓치지 않고 지켜나가야 한다고 생각합니다. 사회적으로 읽히지 않은 나를 보는 것, 많은 연결 고리에서 벗어나 홀로 있을 때 발생하는 감정을 가만히 바라보는 것, 그런 감정을 목도하면서 편견과 시선에 관계없이 계속 살아갈 이유를 만드는 게 제일 중요한 게 아닌가 종종 생각해 보곤 합니다. 저는 그림이나 영화가 분명히 겪었는데 언어화되지 않는 어떤 순간과 어떤 감정들을 목도하게 해주는 그런 힘이 있다고 생각합니다. 최근에 영화를 보러 가서 움직이는 평면을 바라보고 있는데 그 순간이 되게 행복했습니다. 영화라는 것 자체가 엄청나다, 라는 생각이 들더군요. 빛이 평면을 비추면,

움직이는 이미지가 있고, 그 안에 이야기가 있고, 완벽한 세계가 있고, 그 세계가 있다고 믿게끔 하는 게 대단하다고 느꼈습니다. 그런데 사람들은 그 영화가 끝나면 그걸 기억하고 다시 일상으로 가잖아요. 심지어 보고 나서 며칠 뒤에 사람들과 그 영화에 대해서 이야기를 나눌 수 있다는 게 엄청나다, 라는 생각이 들면서 그림도 그랬으면 좋겠다 싶었습니다. 그림은 그 순간이 중요하고 다시 볼 수 없는, 리플레이가 되지 않는 현시(現時)잖아요. 눈앞에서 발광하는 듯한 존재를 나도 만들 수 있을까 생각해 보곤 합니다.

맞아요. 그들이 밤에 도망 다니며 받는 빛 중에 푸른빛이 있어요. 그들이 적극적으로 움직이기 때문에 그 색도 입혀지는 것이라고 생각합니다. 스스로 살아졌기에 자신의 표면이 바뀌는 것을 경험할 수 있는 거죠. 블루라이트나 백광을 받으며 숨겨져 있거나 인정받지 못하고 변방에 살아가는 그 사람들이 시스템에 굳이 인정받을 필요는 없지만 존중받고 자기 색을 만들어갔으면 좋겠다고 생각합니다.

고등어 작가의 생각을 듣다 보니 〈공동 고백〉은 색이 지워진 사람들에 대한 것이지만 동시에 그들은 자신의 색을 찾아가는 사람들이고 그러기 위해 다른 세계로 이동하는 사람들이라는 생각이 듭니다.

고등어 개인전 『The hours, 3 lights』,
「Pale moon sister 1」 아크릴, 캔버스에 복합재료, 116.8×91cm, 2021

송주원

송주원은 안무가이자 실험 다큐멘터리 영상 작가다. 20대부터 무용수로 활발히 활동해 온 그는 2003년부터 '일일댄스프로젝트'를 창간한 이래 춤과 영상을 결합한 실험적인 작품으로 주목을 받았다. 사라지는 도시 풍경과 장소가 지닌 역사성을 춤과 결합해 풀어낸 〈풍정.각(風情.刻)〉 연작은 그의 대표적인 프로젝트다. '풍정.각(風情.刻)'은 바람처럼 흐르는 삶의 좌표 속에 새겨진 감정을 기록해 나간다는 뜻으로 기억해야 할 삶의 순간을 몸으로 담아 표현하는 작가의 세계관을 반영한다.

현재까지 도시공간 무용 프로젝트 〈풍정.각(風情.刻)〉이라는 이름하에 제작된 작품은 15편에 이른다. 서울 북촌문화센터에서 장소 특정적 퍼포먼스를 기록하는 것을 시작으로 청파동, 장안평, 낙원악기상가, 성남 태평동 등 자본과 정치 논리로 인해 변해가는 공간에서 비언어 매체인 무용으로 도시의 역사를 말해왔다. 특히 통의동을 중심으로 한 골목에서 촬영한 〈풍정.각(風情.刻) 골목낭독회〉(2015)는 세계문자심포지아 공개 이후 수많은 영화제와 전시장의 관심을 받으며 무용, 미술, 영화 분야의 비평가들로부터 새로운 매체혼합적 작가의 탄생을 주목하게 했다. 특히 재개발과 도시재생 공간에 담긴 감각과 서사를 놀이와 유머를 동반해 리드미컬하게 전달하는 것은 그의 작업이 지닌 독특한 미학으로 평가된다.

작가는 과거의 기억을 담아내는 작업뿐만 아니라 동시대 삶에 대한 의견 피력에도 주저하지 않는다. 세월호에 대한 비판적 시선을 경쾌하게 표현한 〈반성이 반성을 하지 않는 것처럼〉(2017), 5.18 광주 국군병원의 기억을 현재의 시선으로 풀어낸 〈뾰루지.물집.사마귀.점〉(2021), 2017년 한국춤비평가협회가 선정한 베스트 작품 중 하나로 꼽힌 국립현대미술관 공연 〈풍정.각(風情.刻) 오차원에〉(2017) 등은 매체와 장르를 구분하지 않는 작가의 넓은 스펙트럼을 보여주는 동시에 동시대를 살아가는 인간 존재와 삶의 태도에 대한 질문으로 나아간다.

그의 작품은 런던스크린댄스페스티벌, 마카오댄스필름페스티벌, 서울독립영화제 등 국내외 다수의 영화제에서 상영되었으며 서울무용영화제 최우수작품상(2017), 천안춤영화제 우수상(2018)을 수상하며 그 작품성을 인정받았다. 아울러 그는 다수의 미술관 및 극장에서 퍼포먼스와 전시 형태로도 작품을 선보이며 안무가 및 작가로서 단단한 행보를 걷고 있다. 장소 특정적 퍼포먼스, 댄스필름, 실험 다큐멘터리 등의 다양한 형식으로 불리며 춤과 영화의 담론을 활발하게 이끌고 있는 송주원은 오늘날 댄스필름 분야에서 가장 활발히 활동하는 작가이다.

송주원 홈페이지

〈풍정.각(風精.刻) 푸른고개가 있는 동네〉(2018)
트레일러

〈풍정.각(風精.刻) 푸른고개가 있는 동네〉(2018)
한일전쟁의 흔적을 간직한 봉제공장이 밀집한 동네, 재개발을 앞둔 청파동의 풍경을 담았다.

서울의 오래된 공간, 특히 삶과 자본이 버린 공간에 관심을 가진 계기나 있나요?

제가 강남 쪽에 살다가 어느 날 부암동으로 이사를 하게 되었어요. 연습실이 방배동에 있어서 406번 버스를 타고 덕성여중고 정거장에 내려서 자주 걸어 다녔거든요. 부암동이 지대가 높아 계절의 변화가 크게 느껴지는데 가을이면 하늘이 가까워지고 겨울에는 시내보다 온도가 한 5도 정도 낮으니까 너무 추웠어요. 당시에 경제적으로 어려웠는데 갑자기 이사를 가야 하는 상황이 되어서야 내 몸 하나 누일 집이 없다는 사실이 공포스럽게 다가와서 집이란 무엇인가, 라는 생각을 하게 됐어요. 어릴 때만 해도 집은 원래부터 그냥 있는 건 줄 알았어요. 웃기게도 나이가 마흔이 돼가도록 그걸 몰랐던 거예요. 서른 이전에는 혼자서 월세 내며 살아본 적이 별로 없었기 때문에 돈에 대한 감각이 없었어요. 한 달에 한 번씩 월세를 내야 한다는 공포심, 불안감을 처음 느끼게 된 거죠. 도대체 내 삶이 왜 이렇게 흐르게 되었을까, 제 몸 안에 새겨져 있는 여정이 삶의 좌표처럼 계속 움직이고 있는데 나는 지금 어디를 걷고 있나 했어요. 이사 갈 집을 보러 다니면서 부암동을 올라갔는데 저녁에 이 마을 불빛이 쫙 보이면서 '저 많은 불빛 속에 내 몸 하나 누일 곳이 없는 게 어떤 거다'라는 걸 그제서야 제가 알게 된 거죠. 스스로 반성도 하고 화가 나기도 했는데, 그때를 계기로 국가나 자본의 욕망이 어떻게 도시를 이루고 있는지, 우리가 이 땅에서 어떻게 살아나가고 있는지 집, 마을에 대한 질문을 하기 시작했어요. 하루는 정동길 끝에 높은 아파트가 지어지고 있는 풍경이 보이는데 이상했어요. 제가 좋아하던 구불구불한 골목길과 LP바가 사라지고 있었죠. 저도 어릴 때는 주로 아파트에 살았어서 아파트가 이상하다고는 한 번도 생각을 안 해봤는데 제 삶이 바뀌니까 다른 게 보이더라고요. 이후에 청파동 작업을 하면서 여러 가지 얘기들을 수집해 나갔는데 거기에 자이아파트가 들어섰고, 아파트 브랜드 '자이(Xi)'가 'eXtra intelligent'의 약자라는 거예요. 왜 우리는 엑스트라(대단, 특별)하고 인텔리전트(지적이고 똑똑)해야 하는 건지 그렇게 사는 게 마치 행복한 삶이라는 슬로건이 불편한 거예요. 로얄, 캐슬, 이런 단어 앞에서 나는 누구지 하는 질문을 던지게 되는 거죠. 어떻게 내가 나라는 인간으로 계속 살아나갈 수 있을까. 저 달을 향해서 나아가는데, 달 속에 뭐가 있는지 모르겠지만 그게 엑스트라(대단, 특별)하고 인텔리전트(지적이고 똑똑)한 건 아닌 거고, 삶의 소소한 것들을 계속 담고 싶고, 삶의 울퉁불퉁함 속에 아름다움을 포착하며 함께 살아나가고 싶어요. 획일화된 장소가 인간의 감각을 어떻게 차단하는지에 대해 기록하고 싶고 인간을 인간으로 살지 못하게 하는 것들에 대해서 작업을 해보고 싶었어요.

도시공간 무용 프로젝트 〈풍정.각(風情.刻)〉 시리즈는 벌써 15편을 만드셨는데 이 작품들을 통과하는 세계관은 무엇인가요?

이 작업을 시작한 지 올해가 10년째예요. 그간 생각이 조금씩 달라지기는 했어요. 처음 시작할 때 지었던 프로젝트 제목의 뜻을 풀어보자면, '바람 풍(風)' 자는 저도 모르게 이어나가고 있는 삶의 좌표 같은 것이에요. 바람에 꺾이기도 하고 돌아오기도 하고 이어지기도 하고 역풍도 있고 순풍도 있는 그런 삶 자체를 표현하고 싶었어요. '정(情)'은 그 안에 흐르는 감정들이고요. 인간은 감정으로 산다고 생각하거든요. 행복해, 슬퍼, 아파와 같은 단어로 정의될 수 있는 것이라기보다 몸 안에 축적되고 삶을 통과하는 수많은 감정들에 관한 것이죠. 인간이 그 감정을 충분히 다루고 움직일 때 삶이 반짝이고 있다고 생각하거든요. 장소가 가지고 있는 감정, 무용수의 몸을 통해 전달되는 감정, 그것을 바라보는 관람자의 감정들을 움직임으로 담아보는 거죠. 마지막으로 각(刻)은 그러한 삶의 장면들이 그곳을 바라보는 사람과 그 도시 공간에 새겨져 또 다른 사람에게 영향을 주어 연결하는 것을 의미해요. 삶에서 겪은 기억과 경험들이 내 몸 어딘가에 새겨져 있거든요. 그것은 사라져버리지 않고 어딘가에 항상 존재한다고 생각해요.

〈풍정.각(風情.刻)〉 시리즈가 사람들에게 본격적으로 주목받은 계기는 '세계문자심포지아 2015'[1]였어요. 당시 '골목'이라는 주제를 가지고 통의동을 중심으로 축제가 개최됐는데 기획자가 골목에서 공연을 하고 윈도우갤러리로 영상을 틀어보면 어떻겠냐고 제안을 주셨어요. 이전에 〈풍정.각(風情.刻)〉 영상 작업을 세 편 했지만 그때까지만 해도 제가 퍼포먼스나 공연만 했었지 전시를 한 경험은 없었는데 두 작업을 다 해보기로 한 거죠. 통인동 골목은 매우 상업적인 공간이고 제가 생각하던 골목의 느낌이 덜 나는 거예요. 제가 떠올린 골목의 이미지는 이쪽저쪽으로 뻗은 길이 연결되어 있고 양 갈래 길도 있고 되돌아오는 길도 있고 울퉁불퉁하기도 한 길이었거든요. 게다가 골목에서 퍼포먼스를 하면 관객들이 올 텐데 그럼 작은 골목에서 거주민들이 너무 불편해지는 상황이 되니까 골목 공연은 상업 공간에서 하고, 영상은 제가 평소 좋아하던 느낌의 옥인동 골목에서 찍게 된 거죠.

1. 세계문자심포지아 2015–
가가호호 문자,
2015.10.16.–10.25.
종로구 통의동
일대에서 개최.

이 작업을 만들면서 옥인동, 창성동 일대를 돌아다니게 되었는데 그때 숨겨진 골목이 주는 풍경을 퍼포먼스 공간으로 주목하게 됐어요. 장소를 돌아다니면서 발견한 것들을 수집해서 글로 적고 그 속에서 질문을 찾아내고 안무로 발전시키게 되었

〈풍정.각(風精.刻) 푸른고개가 있는 동네〉
한국전쟁 때 시체를 쌓아두었다는 계단

죠. 이 작품을 의뢰받고 만들 당시에는 옥인동이 재개발 지역으로 묶여 있어서 빈집이 많았어요. 마치 피부 안 핏줄처럼 그 빈집들이 골목 구석구석 연결되어 있었는데, 주소지가 포털 사이트에 찍히지도 않는 곳이었어요. 그래서 촬영을 할 때 무용수들과 통인시장 앞에서 만나 골목으로 걸어 들어갔죠. 대로에서 집 세 채 정도를 지나면 바로 나오는 골목인데도 재개발 지역으로 묶여서 지도에도 나오지 않는 거예요. 대로변의 상업 시설이나 비싼 집들은 마치 주소지이고 그 뒤로 펼쳐진 골목 안의 삶은 마치 없는 것처럼 외면받는 작은 마을인 거죠. 그 골목으로 걸어 들어가면 1910년도부터 지어진 옥인동 윤씨(尹氏) 가옥[2] 원형이 남아 있던 곳이 있었어요. 매국노였던 윤덕영 일가가 살던 집이기도 했대요. 그 집 창문 레이스 커튼 사이로 항상 라디오 소리가 들리는데 너무 귀여운 거예요. 돌계단, 전봇대, 양 갈래 길, 내리막길이 울퉁불퉁 재밌고 그 길을 제가 좋아해서 자주 다녔어요. 어둡고 좁은 골목은 무서우니까 숨을 약간 멈추고 빨리 통과하기도 하고요. 누군가의 세세한 삶의 장소, 어떤 순간들을 포착하고 함께 나누고 싶었어요. 골목길을 걸어가며 사라져가는 것들, 숨겨져 있는 것들, 드러나지 않지만 존재하는 것들을 이야기하고 싶었거든요. 그래서 촬영 전에 무용수들이랑 골목에서 리허설을 하며 고양이 흔적도 발견하고 시멘트에서 튀어나온 풀도 만져보고, 그것을 각자 어릴 때 기억과 결합하고 수집하면서 글로 장면을 정리한 다음에 움직임으로 발전시켰죠. 이러한 일련의 과정을 거쳐서 〈풍정.각(風情.刻) 골목낭독회〉를 만들었어요.

2. 옥인동 윤씨(尹氏) 가옥은 남산골 한옥마을에 복원되었다. https://www.hanokmaeul.or.kr/ko/h/about

도시 공간의

극장을 벗어나 공연을 하는 것에 대해서는 꾸준히 관심을 가지고 있었어요. 이전부터 과천 현대

이야기를 담기 위해 야외에서 공연을 하고 촬영을 시작하신 건가요?

미술관 잔디광장, 부산해변 축제, 운현궁 등 다양한 야외무대 공연도 많이 했었고, 피나 바우쉬(Pina Bausch, 1940-2009)[3]나 피핑톰 무용단(Peeping Tom)[4] 공연처럼 거대한 바위가 등장하거나 가정집 거실이 무대가 되는 작업도 해보고 싶었어요. 하지만 그런 예산을 만들 수 있는 상황이 안 되니까 무대를 떠나서 현실감 있는 장소를 무대로 한 공연을 만들어보자 생각했지요. 그런 동기를 품고 '도시공간 무용 프로젝트'를 시작했고 첫 번째가 북촌문화센터의 한옥집이었죠. 두 번째는 이태원 MMMG 건물, 세 번째로 서울도서관 계단이었고, 이후 통의동, 청파동, 세운상가, 낙원악기상가 등 여러 장소를 통과하게 됐어요. 영상을 촬영하게 된 이유는 어떻게 보면 단순해요. 이동식 퍼포먼스를 하면서 객석 확보가 어렵고 누군가는 그 장면을 보고 지나가고 누군가는 그것을 못 보고 지나치는 부분이 생기더라고요. 그래서 춤의 장면을 잘 보여주자는 의도로 영상을 찍어서 온라인 사이트에 올려 공유하는 방식으로 작업을 했어요. 장소 특정적 퍼포먼스, 댄스필름이라는 언급을 많이 해주시는데 저는 처음에 그런 용어도 몰랐고, 영상을 찍을 때만 해도 이것이 영화라는 생각을 안 했었어요. 오히려 장소가 말을 거는 것에 주목하다 보니 이런 결과물이 나오게 되었죠. 저는 '장소에 몸을 기울인다'라는 표현을 쓰는데요. 장소가 가진 이야기를 상상하고 궁금해하다 보면 그곳이 말을 걸어오는 순간이 있어요. 그러한 장소에서 찾아지는 것들로부터 질문이 출발했어요. 오히려 주변 사람들이 제가 영화로 춤을 담을 수 있게 환경을 조성해 주었죠. 작품을 소개할 때 도시공간 무용 프로젝트 〈풍정.각(風情.刻)〉이라는

3. 독일의 무용가. 관습에 얽매이지 않는 혁신성으로 현대무용의 새 지평을 연 예술가로 평가받는다.

4. 벨기에 현대무용단. 무용, 연극, 음악 등 장르를 넘나드는 파격적인 형태를 통해 동시대 사람들의 삶을 예리한 시선으로 표현해 알려졌다.

타이틀을 써요. 장르와 형식 이전에 저에게는 도시의 삶의 순간들을 포착하고 기록하는 것 자체가 중요했어요.

최근 작업 중 〈풍정.각(風情.刻)〉 11번째 프로젝트 〈마후라〉(2021)의 배경이 독특한데 소개를 부탁드립니다.

장안평을 처음 만났을 때 마치 SF영화에 나오는 마을 같았어요. 범퍼, 타이어, 서치라이트, 와이퍼, 사이드 미러 같은 부품들이 자동차 시체 내장처럼 널브러져 있고 중고차 판매를 위한 삐끼(호객꾼)들의 손짓과 외국인 노동자들이 부품을 닦고 있는 엄청난 광경이 곳곳에 펼쳐져요. 중고차 시장과 부품 시장, 재제조와 정비, 유통까지 심지어 벤츠 등 명품 자동차 매장들도 있고요. 장안평은 우리나라 초창기 모빌리티가 시작된 곳이기도 해요. 조선시대에 군마, 말들이 쉬었다 가는 곳이었어서 방목장의 역사, 이동의 역사가 깃들어 있고요. 6.25 전쟁이 끝나고 경제 발전이 시작되자 자동차라는 신문물이 들어와서 70-80년대에는 사람들이 스포츠 가방에 돈을 다발로 싸 다닐 정도로 부유한 사람들이 오가는 동네였다고 해요. 나이트 클럽, 술집, 룸살롱, 도박하는 곳 등 유흥 공간도 생겨나고 퇴역 군인과 경찰, 조폭이 몰려다니던, 한때 경제가 부흥과 불법 재제조도 일어났던 화려한 어둠의 마을이라고 볼 수 있죠. 요즘은 대부분 온라인 시장으로 중고차나 부품을 구매하니까 시장 경제가 무너지기도 했고 환경 문제도 있으니까 시장 자체가 외면받고 있어서 재개발 이슈까지 고민이 많은 동네이기도 해요….

역사적인 이유 외에도 장안평이라는

〈풍정.각(風情.刻)〉 세 번째 장소가 시민청 옆 서울 도서관이었는데, 그때 우연히 그 공연을 본 도시개발 공무원 한 분이 장안평에서 현대무용 공연을 했으면 좋겠다는 제안을 주셨어요. 답사

공간의 어떤 매력이 작품으로 이어졌을까요?

를 갔는데 장안평이 재개발로 사라진다는 말이 돌더라구요. 장안평에 평생 뼈를 묻은 분들이 계시잖아요. 어릴 때부터 거기서 일을 하다가 사장님이 된 분들도 있으신데 재개발이 돼서 그곳이 사라진다는 게 주민들에게는 서운한 거예요. 다른 분위기도 감지됐는데, 재개발 후에 주상복합이 지어진다고 하니까 아들에게 사업을 세습한 시대를 잘 탔던 사장님들이 이번 기회로 다시 장안평을 부흥시켜 보자는 욕망도 존재하더라고요.

처음 이곳을 방문했을 때 자동차 부품이 다리 하나, 팔 하나처럼 마치 신체 장기를 떼어낸 것이 널브러져 있는 죽은 시체들의 마을 같아 그 시체들이 살았던 시간을 기록하고 싶었어요. 〈풍정.각(風情.刻)〉에는 전체 시리즈를 관통해서 계속 유령이 나오기 때문에 연결된 맥락으로 이곳에서도 이야기를 해볼 수 있겠다 싶었고요. 중고차 시장 안에 대지 다방이라고 있어요. 친절하고 따뜻한 한 이모님이 40년이 넘도록 같은 장소에서 장사를 하고 계세요. 고양이 두 마리를 키우면서 쌍화차 삼천 원, 커피 천오백 원 이렇게 장사를 하시는데 아저씨들이 와서 커피나 미숫가루 시켜 드시고 가세요. 자주 다방에 가서 이모님과 친해졌는데 배우들이 옷 갈아입을 곳이 없어서 찾고 있다 하니 거기서 촬영 준비하라고 공간을 내주신 거예요. 어떻게 보면 시각적으로 어둡고 거친 자동차 마을이지만, 공원도 있고, 재래시장도 있고, 골목에서 꼬마들이 뛰어노는 일상이 공존하는 풍경이 작품에 녹아들길 바랐어요. 그리고 저는 이 마을의 곳곳의 장소가 일종의 보관소 같다고 느꼈어요. 자동차 부품들도 새 삶의 탄생을 기다리는 존재들이기도 한 거죠. 그들은 시체이기도 하고 탄생을 기다리는 영매이기도 하고, 그런 유령들이 마을 곳곳에 출몰하는 상상을 다루고 싶었어요. 〈마후라〉 초반에 자동차 범퍼

〈풍정.각(風精.刻) 마후라〉(2021)

〈풍정.각(風精.刻) 리얼타운〉(2019)
도시재생사업으로 인해 문화공간으로 변모한 돈의문 박물관 마을의 자취를 두 무용수들의 몸짓을 통해 되돌아본다.

가 꽉 걸려 있는 대문에서 배우가 걸어 나오는 장면이 있어요. 첫 답사에서 골목을 걷는데 어릴 때 저희 집에 있던 초록색 대문 같은 게 있고, 그 위에 자동차 범퍼가 걸려 있는데 이건 너무 비현실적이면서 너무 아름다운 거예요. 저 집으로 들어가면 마징가 제트가 튀어나올 거 같고, 저기서 레이저 불이 나올 거 같은 상상이 펼쳐져서 여기서 뭔가를 해야겠다 결심이 선 거죠. 작품을 만드는 동안에는 죽은 부품들이 다시 탄생을 기다리는 상황에 대해서 떠올렸어요. 공간의 이미지와 사운드가 매우 강렬한 곳이에요. 뭔가 엄청난 일이 벌어질 것 같은 마을의 뉘앙스와 그 속에 숨겨진 이 마을의 속살 같은 이야기를 담는 것에 주목했어요.

삶의 공간을 침범한다고 생각해서 불편하게 느끼시는 분들도 계셨어요. 이 공간이 공식적으로 허가된 곳인데도 연세가 지긋한 분들은 어두운 부분이 있다고 생각해서 드러내길 두려워하고 전반적으로 위축된 분들도 계세요. 삶의 공간이 사실은 생존을 위한 공간이니 촬영을 원치 않으시는 거죠. 그래서 촬영을 하고 싶었는데 못 했던 것도 있고 제대로 못 찍은 곳도 있어요. 청파동 작업 때도 마찬가지였어요. 건물은 가정집인데 미싱공장인 거예요. 상가로 등록을 하지 않고 오랫동안 가정 주택에서 일할 수 있는 구조를 만들어 정착한 곳이죠. 장안평도 같은 사례예요. 가정집을 부품 창고로 쓰다 보니 공간이 모자라서 범퍼를 문에 쌓아놓는 거예요. 놓을 데가 없으니까. 그런 집들 중에는 상가나 창고로 허가를 받은 곳도 있고 못 받은 곳도 있어요. 그러나 저는 그러한 위태로움 역시 삶의 감각이고 도시의 틈새에서 작동하는 생명

주민들 입장에서는 자신들의 삶을 관찰하는 것이 부담스럽게 느껴지기도 하고 작가 입장에서도 조심스러운 부분이 있을 거 같아요.

력이라 생각해요. 땅 주인이 버려진 땅에서 보금자리를 터서 일가를 이루어낸 것인데 갑자기 불법이라고 하니까, 나가라고 강요한 뒤에 자본주의 사회의 요구에 따라 번듯한 주상복합아파트를 짓는 것만이 좋은 선택일까요? 저는 여전히 의문을 가지고 있어요.

매끈매끈하고 반듯한 유리로 둘러싼 고층 빌딩만을 향해서 사는 것이 아니라 일상 속에 살기 위해 만들어진 것들과 공존하는 것이 삶이라 생각해요. 명품도시, 명품종로라는 슬로건을 볼 때마다 내가 원하는 마을은 명품이 아닌데 굳이 명품에서 살고 싶은 건 아닌데 싶어서 숨이 턱 막히죠. 우리의 삶의 지향점이나 가치관이 암묵적인 거리의 텍스트나 SNS를 통해서 강요받고 있는 것은 아닐까, 라는 질문을 안고 있어요. 오히려 기름때 묻고 거칠지만 생존을 위해서 자기 삶을 살아내는 사람들을 조명하고 그들의 삶이 숭고하고 아름답다는 것을 더 보이고 싶어요.

무거운 주제를 다룸에도 불구하고 놀이, 유머, 엉뚱함이라는 요소를 작품에 포함시키는 것은 왜 중요한가요?

우리 삶이 엉뚱하고 그렇지 않나요? 제가 청파동 작업을 할 때 한 작가분이 그러시더라고요. 보통 작가들은 재개발 지역을 가면 뭔가 불편한 걸 찾아내고, 그 경계를 더 강렬하게 드러내려고 하는데 저는 그걸 따뜻하게 푼다고요. 그게 너무 이상하다는 거예요. 저는 잔혹동화 같은 삶을 우리가 살고 있는 거라고 생각해요. 경계도 진중함도 제 방식으로 표현을 하는 것 같아요.

〈마후라〉 앞부분의 사운드는 새타령 노래에 '아이고~' 대사를 붙인 거예요. 일종의 노동요인 거죠. 그곳의 기계와 부품들은 죽은 존재이기도 하지만 재탄생을 기다리는 애들이고, 이를 다루는 노동자분들의 노동이 숭고하다는 생각이 들었고 이 부분을 조명하고 싶었어요.

삶의 가락이라는 것이 절망이나 위기, 상처 안에서도 웃음이 발견될 수 있는 거라고 생각하거든요. 제가 잠시 프랑스에 공연하러 갔을 때 파리 테러가 났어요. 파리 사람들이 엉엉 울면서 긴 터널을 기어 나오는데 곡소리가 여기저기서 들리니까 “우리 울지 말자, 웃으면서 나가자” 이런 이야기를 서로 건네었다, 라고 뉴스에서 말하더라고요. 저에게는 그것이 삶이라는 생각이 들었어요. 어려운 일을 겪을 때 슬퍼하고 울고 밥도 못 먹고 엉엉 울다가도 배에서 꼬르륵 소리가 나요. 배고프다. 우리 밥 먹을까? 이런 상황들이 인간의 삶에 가깝지 않나? 하는 생각이 든 것이죠. 인간이라면 본능적, 무의식적으로 가지고 있는 삶의 요소들을 끄집어내서 구현해 내는 과정 속에 유머, 살아내기 위한 유연함이 깃들어 있다고 생각해요. 저는 유머를 믿어요. 유머와 웃음이 삶에 다양한 물길을 만들어 내거든요. 저는 안 좋은 일이 일어났을 때 오히려 장난을 쳐요. 어릴 때 가족 분위기가 영향을 미친 거 같은데 어머니가 재밌는 분이세요. 만홧가게 가서 만화책도 같이 많이 보고 엄마랑 장난치고 노는 것을 즐겼어요. 아빠가 퇴근하실 때 엄마와 버스 정거장에서 기다리며 함께 노래하고 춤추고 그랬던 기억들, 골목에서 뛰어놀고 날아다니던 기억들이 저의 자양분이 되어 주었어요. 사실 어릴 때는 우리 가족은 왜 맨날 좋은 얘기만 할까? 남들처럼 날카롭지 않고 현실을 똑바로 보지 않을까? 하는 불만도 있었어요. 왜 자기들이 만들어 놓은 동화 속에 들어가 있지? 세상에는 심각한 일들이 벌어지고 있는데 이 상황에 장난이 하고 싶을까? 하는 생각도 했었는데 그 웃음 안에 엄청난 내공의 힘이 있더라는 것을 살면서 알게 되었어요. 그러한 유년 시절의 기억들을 ‘노스텔지어’라는 단어로 표현하기도 하는데 이 단어가 의미하는 바는 과거의 것들을 꺼내오는 것들이라기보다는 더 깊은 감정의 사고이고 인간의 본성이라고 생각해요.

〈풍정.각(風精.刻) 세운상가에서 낙원빌딩으로〉(2017) © 이운식

역사와 삶을 안무로 번역할 때 중요하게 생각한 지점은 무엇인가요?

현대무용에서는 은유와 상징, 추상적인 언어로 커뮤니케이션을 하고 표현을 해요. 무용 자체가 비언어의 매체인데 그것을 어떻게 이야기로 풀어나갈 것인가의 질문이 큰 비중을 차지하거든요. "무대에서 무용수가 뛸 때 왜 달리기를 해?"라고 친구들이 물어봐요. 그럼 전 인간은 원래 달리기를 해왔다고 말해요. 어떤 사람은 어딘가에 도달하기 위해 달리기를 하고 무엇으로부터 벗어나기 위해 달리기를 하고 이 세상에는 수많은 달리기가 있고 모든 움직임이 춤이라고 말하죠. 이것이 저에게 중요한 지점이에요. 다리를 세우고 팔로 조형적인 선을 만드는 것, 훈련된 신체가 만드는 운동성만이 무용이 아니라고 생각해요. 인간의 모든 행위, 모든 몸짓들이 다 언어가 되고 춤이 될 수 있다고 전 믿어요. 무용을 떠올렸을 때 어떤 형상에 도달하기 위한 여러 경로가 있다면 그것이 다양한 골목을 통해 돌아갈 수 있다는 것을 보여주고 싶었어요. 한 가지 방법만 있는 것은 아니니까요. 저에게 있어서 춤은 장소의 이야기를 신체로 소환해서 그것을 몸으로 해석하는 과정이거든요. 그 과정을 저는 놀이를 하듯 전개하고 있어요. 예를 들면, 덜컹거리며 기계가 움직이는 장면들을 신체로 형상화하기도 하고 대지 다방에서 차를 마시는 일상의 행위들이 움직임으로 발전하기도 해요. 무용수들과 팔이 떨어지거나 다리가 부러지는 등, 몸의 감각이 분리되는 경험들에 관한 이야기를 나누고 이를 안무로 발전시켰어요. 몸에서 잃어버린 감각들, 잘 사용하지 않는 신체 부위를 어떻게 움직이게 할 것인가의 질문을 동반하기도 하고요. 움직임 자체가 장소의 서사를 담고 있기도 하니까요. 개발과 재생이 탄생과 죽음처럼 생의 주기의 순환 속에 이루어진다고 생각했거든요. 인간적인 것과 비인간적인 것, 나아가 도시에 있어서도 탄생과 소멸이 반복되는 것은 마찬가지죠. 죽음과 탄생의 반복이 삶의 원형적인 서사라고 한다면 그러한 연결이 오늘날에는 온라인으로 대체되면서 우리 삶에 변화가 어떻게 다른 양상을 갖게 되는지 질문을 던지고 싶었어요.

5.18 민주화운동을 기념하는 행사의 일환으로 만든 〈뾰루지.물집.사마귀.점〉의 경우 작업의 배경으로 시와 소설이 작동했어요. 그 글에서 출발한 움직임을 장면으로 만들기도 하고 머리가 긴 무용수가 있었는데 머리카락으로 글을 쓰는 이미지를 상상하면서 글자를 쓰는 움직임을 연출하기도 했죠. 콧수염이 되기도 하고 붓이 되기도 하는 상황을 연출하면서 움직임을 연결시켜 보는 거죠. 그때 머리카락은 하나의 장소가 돼요. 장소가 신체적으로 전환되기도 하고 신체의 일부가 장소로 환원되기도 해요. 또 작업의 중심이 되는 구)광주국군병원이라는 장소가 피부에 닿는 상상을 하며 작업했고 광주 5.18 항쟁에 대한 오늘날의 태도라고 해석했어요. 뾰루지처럼 어떤 사건이 확 생겨나 버렸고 그것이 물집처럼 부풀어 올랐는데 꽉 찬 뜨거운 눈물이 그 안에 있고 아직도 규명되지 않은 일들이 사마귀처럼 피부에 붙어 있고 몸의 일부이자 점처럼 우리의 역사 안에 동반되어 있나는 생각이 들었어요. 어떻게 보면 아프고 슬프고 고통스럽지만 자랑스러운 역사인데 마치 몸에 원래 있었던 점처럼 망각되어 있는 것이 아닌가 생각했죠. 몸짓을 통해 그 장소의 시간을 소환해 내는 것이 저에게는 중요한 지점이었어요.

〈나는 사자다〉(2019)라는 작업은 성남시 태평동에서 '빈집프로젝트' 전시를 위한 작업으로 이경미 큐레이터의 제안으로 시작하게 되었어요. 직접 방문했을 때 구릉지와 같은 희한한 골목들과 옥상들이 펼쳐진 태평동이 너무 매력적이었어요. 이 영상에 주인공으로 등장하는 무용수가 일

〈풍정.각(風情.刻)〉 12번째 〈나는 사자다〉는 다른 작업과 달리 이야기를

이끌어나가는 주인공인 무용수가 있어요. 차별점을 둔 이유가 있나요?

일댄스 멤버인데 어린 시절 태평동에 살았었다는 것을 알게 되었고, 그녀를 주인공으로 마을을 읽는 작업을 해야겠다 생각했어요. 20평의 땅 위에서 3대가 함께 살았던 시간을 소환해 오늘의 풍경을 겹쳐보는 작업이에요. 할머니는 여름에 비빔국수 해주고 겨울에는 라면을 끓여주시는 분이셨고, 아빠는 시를 썼는데 이후 자동차를 팔게 되었고 이 친구는 피아노를 치고 늘 노래를 흥얼거리는 아이였죠. 세대를 통과한 삶의 기록이 이 마을의 거짓말 같은 풍경의 옥상들에 중첩되어 있는데 그 누적된 시간과 지층을 보여주고 싶었어요. 그래서 저랑 무용수가 태평동 골목을 돌아다니면서 나눈 대화를 시나리오로 발전시키고 그걸 춤으로 만들어서 태평동 길 위에 얹혀서 완성한 거죠. "나는 사자다 나는 한빛이다"라는 문장이 작업의 시작점이었고, 이것이 드러나 관객을 작품의 세계로 초대하는 입구가 된다면 어떨까 하는 생각이 들었어요. 혹시나 하고 촬영 후 편집 단계에서 내레이션을 올려봤는데 너무 좋더라고요. 빛이의 목소리도 좋았고 그 풍경에 착 붙어서 태평동으로 초대하는 것 같았어요. 몸짓과 영상을 연결하는 작업을 꾸준히 하다 보니 춤 공연과는 달리 영상에서의 표현 언어는 또 다를 수 있구나 알게 되었죠. 처음으로 내레이션을 시도한 건데, 개인적인 이야기가 포함된 작업이었던지라 고민을 많이 했었어요. 그동안 영화제 상영 후에 많이 들었던 이야기 중 하나가 작품 속에 텍스트가 들어갔으면 좋겠다는 거였어요. 사람들이 몸으로 어떤 동작을 하면 그저 무엇일까 궁금해하고 느끼는데 이게 봄 여름 가을 겨울이야, 라고 말하면 더 쉽게 이해를 한다는 거죠. 피나 바우쉬도 "이 세상에는 말이나 글로 표현할 수 없는 것이 있다, 그렇기 때문에 춤이 필요하다"라는 말을 했듯이 저는 그 지점에 매료되어서 작업을 해왔거든요. 형식적으로는 콜라주 방

〈나는 사자다〉(2019)
성남 태평동에 살던 3대 가족의 이야기를 담았다.

식을 선호하고 모든 것이 춤으로 표현 가능한 것은 맞지만 기본적으로 말이나 글로 삶을 그대로 설명할 수 없고, 춤을 설명하기 위한 텍스트는 다른 차원의 해석이라 생각하거든요. 관객이 무용수의 춤을 보고, 풍경 속에 저 퍼포머가 무슨 얘기를 하려는지 더 유추하고, 그걸 자기 삶과 연결시켜 보는 게 중요하죠. 드러나는 부분만이 아닌 그 너머의 세계를 포함하는 것이 춤이라 그걸 하나로 명명할 수 없거든요. 몸짓의 언어가 말이나 글로는 표현할 수 없는 본능적인 지점이 있는 것은 분명하지만 댄스필름에서의 해석과 확장의 방법론이 될 수 있다는 것을 경험하게 되었고 앞으로도 내레이션이나 텍스트를 잘 사용해서 작업을 해 보고 싶다는 기대를 갖게 되었습니다.

무용이 언어화할 수 없는 것들 혹은 인간 본성을 끄집어내는 도구인 걸까요?

무용 자체가 비물질적이고 비언어적이라서 언어가 담지 못하는 많은 것들을 포함하는 또 다른 언어라는 생각을 해요. 저는 춤이 소통 도구이고 '방백'[5]이라고 자주 언급해요. 일종의 고백이죠. "내 손가락 안에서 모래알처럼 스르르 삶이 빠져나가는 모습을 스스로 마주한 순간이야"라고 보여주는 것이 움직임 아닐까요. 시간 안에 퇴화하거나 사라져가는 것들이 분명히 있을 텐데 거기에서 어느 지점에 점을 찍고 가는가가 중요한 문제라고 봐요. 자본의 가치로 해석할 수 없는 것, 그 사이로 빠져나가는 것들이 춤과 장소 안에 공존하고 있어요. 예를 들면 두 손으로 얼굴을 가리고 엉엉 울 때 눈물이 손가락 사이로 빠져나가잖아요. 언어로 표현할 수 없는 것들이 인생에 찾아오는데 말로 표현이 안 되니 몸으로 표현하게 되더라고요. 저희 집 가훈이 "머리에는 지혜가 가슴에는 사랑이 손에는 일이 있어라"라는 구절이에요. 처음

5. 연극에서, 등장인물이 말을 하지만 무대 위의 다른 인물에게는 들리지 않고 관객만 들을 수 있는 것으로 약속되어 있는 대사

에는 이 구절이 이해가 안 갔는데 손의 무게를 느끼고 몸을 느끼고 알아가는 시기를 통과하다 보니 삶이라는 것이 내 손바닥에서 이루어지더라고요. 삶이 손가락 사이로 빠져나가기도 하고, 내 손 안에 있는 것들이 삶이 되기도 하고, 사람의 감정이 들어오기도 하고, 모두 손바닥에서 이루어지는 것들이잖아요. 손가락 사이로 빠져나가는 삶들이 다 사라졌다고 생각하지 않고 내 몸 어딘가에 남아 있다고 생각해요. 저는 그 시간을 상상하고 유추해서 춤으로 만들고 장소와 삶에서 몸의 본능적인 움직임의 이야기를 하는 거고요.

영상과 무용이라는 두 장르를 동시에 작업하며 느끼는 차이는 무엇인가요?

무용수로 활동할 때에는 다른 매체를 다루는 사람들을 만날 기회가 적었어요. 그런데 현장에서 또 다른 분야의 사람들을 만나면서 그들의 언어를 익히는 순간들이 즐겁더라고요. 화면 앵글을 왜 이렇게 사용했는지, 어떤 시선으로 이미지를 담았는지, 사운드와 영상이 어떻게 맞물리면서 이야기의 흐름을 만들어내는지 그러한 영상 언어에 주목하게 된 것이 가장 큰 변화죠.

공연은 무대 전체가 공감각적으로 다 보이는데 영화는 카메라의 시선이니 제한적이죠. 공연에서는 무용수들 간의 거리, 관객 간의 거리, 조명이 빠져나가는 거리 상황의 뉘앙스까지 챙기면서 어떤 지점에 암전이 되었다가 다시 서서히 불이 들어오며 장면이 시작되는지를 계산하는데 스크린의 공간은 프레임 안에서 모든 것이 결정되잖아요. 춤은 호흡이 쭈욱 길어지다가 탁! 전환되는 리듬감이 시공간의 흐름 안에 펼쳐지는데 모니터로 볼 때에는 무용수의 신체가 만들어내는 공간감이 평면적으로 바뀌어요. 스크린 안에서 춤을 보여줄 때에는 어떻게 안무를 짜야 할지 여전히 많은 고민을 하고 있어요. 카메라로 클로즈업과 보는 각도 등을 설정할 수 있다는 차이가 커요. 영화를 만들게 되면서 작은 부분을 깊게 바라보고 드러낼 수 있는 다양성에 시선을 주게 되었어요. 무용은 무대를 넓은 시야로 보는데 카메라는 선택적으로 볼 수 있잖아요. 그런 지점들이 영화가 지닌 특별한 매력이라는 생각이 들어요. 카메라의 시선을 통해 영화 안으로 들어가게 되는 순간들이 있거든요.

작가로서 온전히 미학적 추구를 할 수 없는 상황에서는 어떤 방안을 마련해 오셨나요?

주어진 조건에서 할 수 있는 최선의 선택을 해왔던 것 같아요. 예산이 적으니 1회 차 촬영이 대부분이고, 조명을 쓸 수는 없으니 풍경에서 도드라지는 컬러풀한 의상을 선택하는 것이죠. 무대의상이 보통 한 벌당 60만원 정도 해요. 한정된 예산으로 조명을 생각할 수도 없고, 무대의상까지 제작하는 것은 불가능했어요. 낙원악기상가에서 공연을 했을 때에는 무용수는 31명이고 청파동 작업에서는 28명, 국립현대미술관에서 했을 때에는 18명이었거든요. 〈나는 사자다〉 작업만 예외적으로 1명이었죠. 무용수들 중 몇몇은 집에 있는 옷을 빌려주기도 하고, 의상 디자이너에게 의상을 빌리기도 하고 대부분은 상대적으로 저렴한 구제 옷을 입혔어요. 머리끝부터 발끝까지가 다 중요한데 몸의 선을 살리기 위해 옷을 수선한다거나 스카프를 메는 것, 단추를 풀지 안 풀지 어떤 양말을 신을지 등등 이런 디테일들을 살리는 것에 매우 신경을 쓰죠. 그 공간에 선 무용수들은 특별하니까 무조건 매력 있게 보이도록 준비하는 것이 중요해요. 영화미술로 공간을 다르게 꾸미지는 못하지만 의상을 통해 그 장면을 연출할 수 있다고 생각했어요.

많은 무용수들과

매 순간이 에피소드죠. 〈뾰루지.물집.사마귀.점〉

작업을 만든다는 것이 쉽지는 않을 것 같은데요, 함께 작업하면서 기억에 남는 에피소드가 있나요?

촬영 당시 불에 탄 방이 있었어요. 어둡고 으스스한 방이었는데 천장에 구멍 하나가 뚫려 있더라고요. 그 구멍으로 빛이 한 줄기가 떨어지는데 그 공간이 무척 아름다웠어요, 무용수가 그 방 안에서 춤을 추는 장면을 연출했는데 현장 답사 때와는 달리 촬영 날 갑자기 암모니아 냄새가 진동하더라고요. 무용수가 들어가자마자 뛰어나오고 눈이 매워서 깜짝 놀랐었어요. 〈마후라〉는 하필 그날이 그해에 가장 추운 날이기도 했고요, 또 〈풍정.각(風情.刻) 푸른 고개가 있는 동네〉의 대표 이미지라고도 할 수 있는 나무 밑에 무용수들이 나란히 서 있는 장면도 운 좋게 촬영하게 되었어요. 저희가 다음 장소로 이동하자마자 나무들이 잘려 나갔거든요. 이런 사건들은 수도 없이 많아요. 마을의 삶의 현장에서 촬영을 한다는 것이 어떻게 보면 매번 기적이에요. 시시때때 우연을 가장한 필연이 기다리고 있는데 그런 순간을 마주하는 것이 쫄깃하고 어렵기도 하지만 엄청 두근거리는 기적이기도 해요.

유일하게 40분이 넘는 작품 〈반성이 반성을 반성하지 않는 것처럼〉은 무성영화, 단편영화, 댄스필름이 합쳐진 독특한 형식을

당시 제가 매주 광화문을 나가던 때였어요. 파란 비닐을 뒤집어쓴 무용수들이 등장하는 장면과 주인공이 보고 있는 TV, "이게 나라냐"라는 피켓이 붙어 있는 부엌의 인서트 컷에서도 드러나듯이 한 주인공의 삶을 통해 그 시기를 바라보고 싶었어요. 당시 세월호 사건 이후 광화문의 추운 겨울을 지나면서 시대에 대한 분노의 감정을 영상에 담아내고 싶었어요. 이 작품은 그 시대적 상황에 대한 분노와 작품 속에서 주인공처럼 세상의 절망과 상관없이 일상을 살아가는 사람

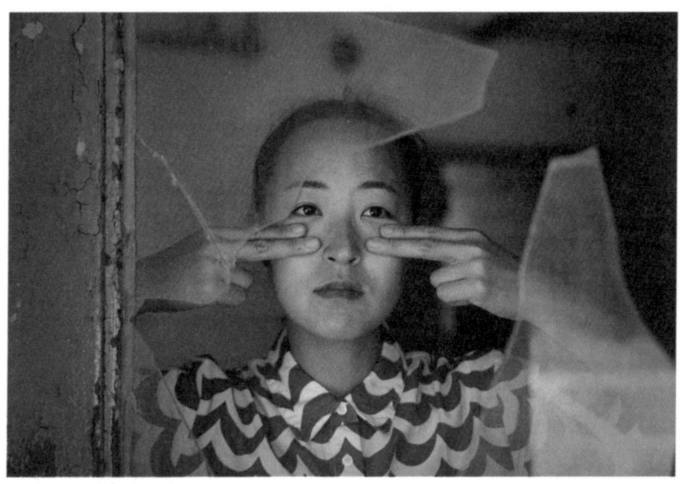

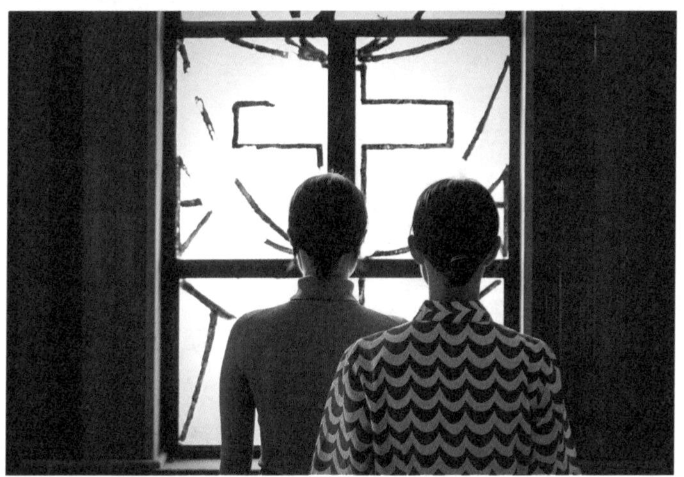

〈뽀루지.물집.사마귀.점〉(2021)
광주 국군병원의 작은 성당에서 촬영했다.

취하고 있습니다. 이 작업은 어떻게 해서 만들게 되었나요?

들에 대한 질문을 동시에 하고 싶었어요. 국가적 재난을 겪고 있는 시기에 주인공은 유튜브 틀어 놓고 와인 마시면서 화를 내지만 일상에 별로 달라진 것이 없어요. 어딘가에서 누군가는 죽어가고 있고 진상 규명도 안 되고 수백 명의 삶이 무너져 내렸는데 누군가는 이런 상황을 외면하고 너무 아무렇지도 않게 살아가요.

이 작품에서는 신발이라는 모티프가 중요했어요. 주인공의 신발장에 무수히 많은 신발이 등장하고 마지막 부분에서 신발 무더기를 연출하게 된 배경에는 이게 산 사람의 신발이지만 세월호 사건으로 죽은 자들의 신발과 이야기가 겹쳐진다는 상징적인 부분이 있었어요. 동시에 결국 사람이 행동을 할 때 손이 먼저 가거나 발이 먼저 향하는 것이라면 당신의 삶은 어디를 향하고 있는가? 질문을 던지고 싶었어요.

안무가, 무용수, 영화감독까지 직업 정체성이 다양합니다. 앞으로 어느 쪽에 더 힘을 쏟고 싶으신가요?

사실 지금은 제가 뭔지 중요하지 않아요. 그냥 지금의 저인 거죠. 우선은 좋은 무용영화를 만들고 싶다는 마음이 커요. 올해가 영상 작업을 시작한 지 10년째인데 내년부터 진짜 본 게임이지 않을까? 그런 생각을 갖고 있어요. 진짜 내가 하고 싶은 영화가 무엇인지 신중히 생각해서 시간과 예산을 들여서 공들인 작품을 만들고 싶어요. 그동안은 최소한의 규모로 주먹구구식의 제 방식대로 작업을 해왔는데 최근에 국립현대무용단의 프로젝트를 하면서 영화가 만들어지는 보편적인 과정을 차례로 밟아보고 있거든요. 이 경험들이 제게 또 어떤 지평을 열어줄지 궁금해요. 영화가 만들어지는 과정에 대한 고민만큼 내가 정말 그 이야기를 잘 담았는가, 라는 질문도

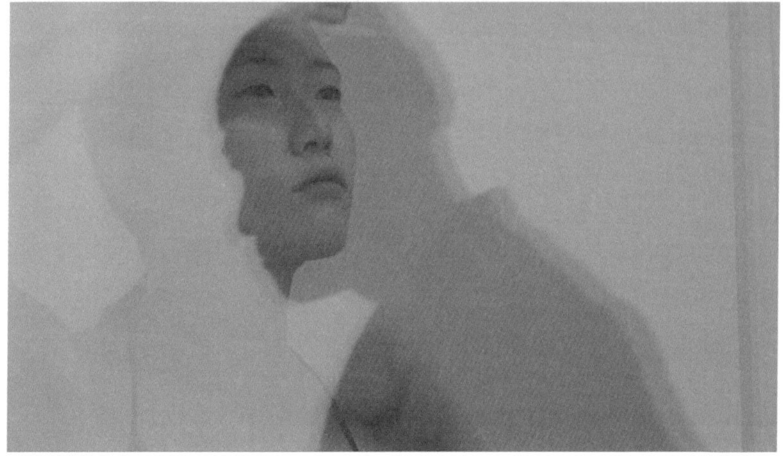

〈반성이 반성을 반성하지 않는 것처럼〉(2017)

계속 안고 갈 거예요. 손가락 사이로 빠져나가는 삶의 순간들과 도시의 감정들을 앞으로도 계속 기록해 보고 함께 이야기 나누고 싶어요.

주변에서는 작품을 어떻게 해석하고 바라보세요? 영화와 무용 혹은 시각 분야에서 작업을 바라보는 시선이 다를 것 같아요.

춤이 없네 내용을 장소에 얹혀놓은 것뿐이네, 라고 말하는 비평도 있었고, 영화 문법과 상관없이 막 만든 작업이라는 이야기도 들어요. 제 작업은 무용이지만 영화고 시각예술 분야로도 읽혀 어쩌면 유령 같다는 생각을 해요. 작품 안에서도 유령이 출몰하는데 예술계 안에서도 제 작업과 저는 유령인 거죠. 물론 이쪽과 저쪽을 구분 지으려고 하는데 과연 이건 무엇일까, 라는 질문도 들고 어딘가에 속하고 싶은 마음도 있죠. 영화제에서 안무가 송주원이라고 말했더니 다들 놀라시더라고요. 저에게 가장 익숙한 언어는 춤이라 안무가 송주원이 가장 적당하지만 요즘은 안무가, 감독이라고 해요. 작업도 저도 이 세상에 잠시 머무는 유령 아닐까요?

작품을 통해 사라지는 장소의 이야기를 수집하고 계신데요, 작품을 접한 관객들에게 바라거나 기대하는 지점이 있나요?

관객들이 울퉁불퉁 구불구불한 골목을 뛰어다니는 장면을 보고 그 장소 안으로 함께 뛰어 들어갔으면 좋겠어요. 그 장소는 도시의 경고 속에 위태롭지만 사계절 버티며 생명을 이어가고 있는 현재진행형으로 말을 걸고 있는데 그것을 함께 바라보고 이야기 나누고 싶은 바람이 있죠.

우리가 사는 도시는 본래의 모습과 그곳에 닿은 시간이 있습니다. 도시의 지형도가 세월에 따라 바뀌는 부분은 어쩔 수 없지만, 편의라는 의도의 불온한 도시 시스템이나 자본의 폭력에 의해서 위협받지 않았으면 좋겠어요. 도시를 걷는 사람들이 불가항력인 힘에 상처받지 않고, 각자의 기억과 호흡으로 일상을 살아갔으면 좋겠어요. 빌딩 숲, 아파트의 사각처럼 사각형으로 딱딱 떨어지는 획일화된 도시, 상대적인 듯 절대적인 보편성의 경계, 암묵적인 강요와 합의, 자본의 폭력과 공포 속에 스스로도 가늠할 수 없는 시스템에 몸을 맞추는 고공예찬을 위한 삶만이 온전한 삶이 아니라는 거죠. 도시가 스스로 선택한 방향에서 완전히 자유로울 수는 없겠지만 모자라고 덜하더라도 상처받지 않고 좀 더 자연스러워도 이질적이지 않게 그냥 생긴 대로 살아도 되는 삶이 존중되었으면 해요. 도시 곳곳에 버려진 곳으로 점찍는 것만이 아닌 보수하고 유지하는 데 노동과 자본, 시간을 들여 안전망을 만들고 그런 안전망이 마을이 되어 각각의 고유함이 삭제되지 않고 생긴 대로 사는 마을이 유지되기를 바라요. 모자라거나 불퉁불퉁해도 살 만한 것으로 사라지지 않고 이어지고 나아가면 정말 좋겠어요. 작업에서는 저의 독백 같은 질문과 관찰들, 신호들을 잘 살펴봐 주셨으면 해요.

시대가 바뀌면서 몸의 이야기도 달라지고 있는데요, 몸이 품고 있는 이야기를 소환해 내는 안무가로서 가장 관심 있는 몸의 이야기는 무엇인가요?

심장에 관한 것이죠. 사람들의 심장 안에 있는 이야기를 담고 싶어요. 사회적 합의에 도달하기 위해서는 너무 뜨거워도 안 되고 너무 부족해도 안 되잖아요. 그러한 범주의 경계를 침범하고 침투하고 싶어요. 각자의 방식으로 삶의 이야기를 이어가고 표현할 수 있는 삶이 풍성해지면 좋겠어요. 위기가 닥치면 피가 안 통하고 가슴이 저리고 속상하면 가슴을 치게 되듯이 장소도 마찬가지라고 생각해요. 그 무수히 많은 핏줄과 같은 삶의 길들의 흐름과 변화를 포착하고 싶어요. 다양한 흐름이 획일화되는 경향에 질문을 계속 던지고

촬영 현장의 무용수와 송주원 송주원 작가

싶어요. 저는 사회 문제를 포착해 전면적으로 목소리를 내는 활동가라기보다는 내 목소리로 할 수 있는 이야기에 주목하고 꾸준히 이야기하는 것이 중요하다고 생각해요. 이 도시의 구성원들 중 한 명의 사람으로서 내가 발견한 내 삶의 발밑에서 벌어지는 이야기들에 귀를 기울이고 함께 이야기 나누고자 합니다.

김영글

김영글은 사유와 언어를 다루는 작가다. 예술을 구성하는 핵심 언어인 텍스트와 이미지를 중심으로 영상, 사진, 설치 등 다양한 매체를 엮어 활동하는 미술가이자, 장르와 경계와 인간다움을 탐구하는 책을 출간하는 1인 출판사 돛과닻 대표이다. 전통적인 개념의 창작자로 결과물을 전시하기보다 사고의 수단을 작품에 개입시켜 관람자가 스스로 질문을 던지게 하는 과정을 통해 예술의 역할을 이행하는 작가이다. 그는 사회에 축적된 순간을 발굴하는 수집가이자, 기존 역사를 재조립해 새로운 맥락을 부여하는 이야기꾼이기도 하다. 그러나 작가의 목적은 재미있는 이야기를 들려주는 것이 아니라, 관객으로 하여금 세상이 작동하는 방식에 대해 의문을 가지게 하는 것이다. 과거에 있었던 사실에 허구적 상상력을 덧대어 무엇이 진실인지 고민하게 만들고, 그러한 헷갈림이 진실 여부를 넘어 근본적 질문에 이르도록 유도하는 것이다.

모나미 볼펜 하나로 한국 근현대사에 대한 이야기를 펼친 『모나미 153 연대기』(2010), 돌을 소재로 세상과 예술이 작동하는 방식을 다룬 『사로잡힌 돌』(SeMA 창고, 2019)을 포함해 서른 번에 가까운 전시에서 작가는 사소한 것들이 품고 있는 역사와 상징을 드러내 관객의 삶에 새로운 서사를 만들어나가고 있다.

우리에게 익숙한 사물을 통해 사회 현상의 이면을 드러내려는 작업은 두 편의 페이크 다큐멘터리에서도 보인다. 〈해마 찾기〉(2016)는 기억의 속성과 인류가 역사를 대하는 자세를 들여다보는 작품이다. 바다 생물 해마와 인간의 몸에서 기억을 관장하는 기관 해마의 이야기를 다루며 인류가 집단적으로 망각하는 기억과 그로 인한 퇴행의 징후를 짚는다. 제20회 서울국제대안영상예술페스티벌 관객상을 수상한 〈파란 나라〉(2019)는 벨기에 만화 주인공 스머프가 한국에서 일용직 노동자로 살았다는 허구에서 시작된 이야기다. 더 나은 삶을 찾아 서울에 머물기로 결심한 이들이 한국 현대사를 관통하며 겪어낸 현실 속에서 행복이란 무엇인지, 인간성이란 무엇인지 자문하게 한다.

김영글은 현대 예술이란 아무것도 없는 곳에서 순수하게 창작되는 무엇이 아닌 과거의 역사와 문화가 남겨놓은 것을 해체하고, 조립하고, 다시 쓰는 것이며, 그것이 동시대 예술의 역할임을 보여주는 대표적인 작가다. 우리 앞에 놓인 사실들이 실은 수많은 의문이라는 것을 일깨우고, 의심하고 고뇌하는 과정에서 타인과 이 세계를 대하는 새로운 마음이 생기게 하는 기폭제로 그의 작업은 기능한다. 또 예술과 사람을 연결하는 이야기꾼으로 일상을 낯설게 보게 하는 예술의 근본적인 기능부터 타인의 인생을 상상하게 하는, 예술이 뻗어나갈 수 있는 가장 아름답고 확장된 역할까지 수행하고 있다. 가장 새로운 이야기는 현재의 시선에서 제시하는 차별된 맥락이며, 서로의 맥락을 이해하려는 노력이 예술과 삶의 관계임을 일깨우는 작가이다.

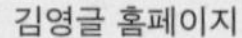

김영글 홈페이지

〈해마 찾기〉(2016) 트레일러

〈파란 나라〉라는 페이크 다큐를 만드셨어요. 어떻게 스머프가 주인공이 되었는지 듣고 싶습니다.

이 작업은 사당역에 위치한 남서울시립미술관의 제안으로 시작됐어요. 원래 벨기에 영사관이었던 건물이라 관련 역사를 조명하고 해석하는 전시를 열어온 곳인데, 그와 연계된 작업 제안이 왔어요.[1] 그래서 미술관을 방문했는데, 좀 놀라웠어요. 근처에 산이 있어 등산객이 바글바글하고 카페나 당구장이 있는 번화가인데 한쪽에 생뚱맞은 유럽식 건물이 떡하니 서 있는 거예요. 그 부조화스러움이 첫 번째 인상이었어요. 제가 사당동에 대해 가지고 있던 이미지는 오래전 읽은 조은 연구자님의 『사당동 더하기25』[2]와 철거민들의 이야기가 전부였거든요. 시간이 많이 흘러서 이제는 번화가가 된 동네의 환경과 건물 외관의 부조화, 그리고 겉으로 봐서는 알 수 없는 역사를 숨기고 있는 이 건물에 대해 실제 역사와 허구를 섞어서 얘기하면 좋겠다는 생각이 들었어요.

1. 『모던 로즈』전, 2019년 10월 15일-2020년 3월 1일, 남서울미술관

2. 사회학자 조은이 1986년에 사당동에서 처음 만난 한 가난한 가속을 25년 동안 따라다닌 이야기를 갈무리한 책.

저는 작업을 할 때 리서치를 중요한 단계로 여깁니다. 제가 지닌 사전 지식에 새롭게 발굴한 정보를 모아서 늘어놓은 다음에 가지를 치면서 얘기할 거리들을 추적해 나가는 식으로 작업을 하는데요. 리서치를 하다가 스머프가 벨기에 만화라는 사실을 알게 됐어요. 스머프는 '공산주의를 전파하는 만화'라는 루머에 시달린 적이 있어요. 모두가 똑같은 옷을 입는다든가 공동 경제 형태로 마을이 굴러가는 배경 설정 등이 그런 루머를 만들었던 것 같고, 아무래도 '공동체'라는 것에 대해 생각하게 하는 면

〈파란 나라〉(2019)
스머프라는 가상의 캐릭터를 통해 한국 근현대사의 소외된 이면을 다층적 시각에서 조망한 작품.

〈파란 나라〉 장면 중 일부

이 있지요. 만화 속 캐릭터를 이야기의 화자로 가지고 와서 스머프라는 가상의 눈을 통해 사당이라는 공간의 역사를 이야기하고 싶었어요. 더 나아가 한국 근대사를 다시 쓰는 이야기이기도 하고요. 기본적으로 제가 작업을 할 때 관심 있어 하는 건 '실제로 일어났던 일을 다시 쓰면서 달리 보기'거든요. 스머프라는 존재 자체가 가상의 캐릭터잖아요. 그 캐릭터에다 이 미술관에서 일어났던 역사적인 사건들을 대입하면서 이들이 실제로 여기 존재했던 누군가를 환기하게 만드는 요소이면서, 동시에 그 환기의 대상은 계속 변주 가능하게 만들고 싶었어요. 영상 속에서 스머프가 때로는 건축 노동자였고, 때로는 집터를 빼앗긴 철거민이었고, 또 어떤 순간에는 폭력의 주체가 되기도 하는데, 저 스머프가 나였을 수도 있고, 특정한 누군가가 아니라 역사 속에 존재했던 그 누구라도 대입 가능한 대상이었으면 했어요.

제목이 굉장히 역설적이에요.

제목은 늘 마지막에 정하게 되는데요. 이 영상에서 중요한 한 축이 내레이션이에요. 역사를 서술하는 화자의 내레이션이 있고, 중간중간 프랑스어로 등장하는 대화도 있어요. 프랑스어 대화는 벨기에 희곡 『파랑새』를 발췌해 넣은 것입니다. 이것도 리서치를 하다가 연결 고리가 생긴 건데요. '어디 존재하는지 모를 행복을 찾아서 떠나는 아이들'의 이야기잖아요. 제가 스머프라는 존재를 통해서 던지는 질문인 '인간은 왜 그러한 욕망을 좇아서 가는가, 이 사회는 왜 이런 모습이 되었는가'와 묘하게 만난다고 느꼈어요. 지금의 시대를 살아간다는 게, 행복이나 희망과 같이 우리가 중요하다고 생각하는 가치를 내포한 말들이 점점 오염되는 걸 보는 일인 것 같아요. 창조라는 단어도 창조경제 이런 말이 나오면서 이상한 뉘앙스가 생겨버린 지 오래잖아요. 진보라는 말도 그렇고요. 어떤 긍정적인 가치를 지닌 단어들이 계속

오염되고 본래의 의미를 잃어버리는데 '파란색'도 이 작품에서 여러 가지 의미가 대입될 수 있는 기호처럼 쓰였다고 생각해요.

〈파란 나라〉에서 중요하게 보이지는 않겠지만 저에게 나름 의미 있는 장면이 있습니다. 영상 마지막 즈음에 파란 하늘에 투명한 깃발이 펄럭이는 장면이 있어요. 잠깐 짧게 등장하는데요. 제가 제주에 살 때 어느 동사무소 폐건물에서 버려진 태극기를 주워서 가운데를 도려내고 투명 테이프로 발라서 만든 작업물이었어요. 국기라는 게 원래 거기 쓰여진 기호나 색깔이 어떤 가치를 내포하고 있는지, 하나의 국가나 공간이 무엇을 상징하고 지향하는지 보여주는 사물이죠. 그걸 투명하게 만듦으로써 내용은 없고 배경만 남게 만들었어요. 영상 도입부에는 미술관 앞에 태극기가 걸려서 바람에 펄럭이는 모습이 창문에 비치는 장면이 나오고, 마지막에는 투명한 깃발이 펄럭이는 모습이 나옵니다. 그러니까 투명한 깃발은 대조적으로 보이지만 사실은 처음의 태극기와 똑같은 깃발이고, 아무것도 보여주지 않으면서 다만 계속해서 바뀌는 시대상을 보여준다는 의미를 담았어요. 건물을 조명하며 이야기를 시작했지만 "이 이야기는 건물에 대한 이야기는 아니다"라고 말하는 내레이션과도 닿아 있습니다.

이야기를 하는 수많은 방법 중에 왜 실제 일어난 일을 허구와 섞어야겠다고 생각하셨나요?

아마 그건 제가 이미지나 언어를 보는 방식 때문인 것 같습니다. 저는 한 장의 사진이나 한 줄의 문장이 있을 때 이게 절반은 진실이고 절반은 가짜라고 생각하는 것 같아요. 아무리 사실로 증명된 것이라고 해도 관점에 따라 해석은 달라지게 마련입니다. 사실을 바탕으로 하는 다큐멘터리도 감독의 주관적인 시선을 따라가는데, 역사도 그렇다고 봐요. 그래서 역사를 말할 때 자연스럽게 허구적인 부분과 사실적인 부분을 함께 이야기할 수밖에 없다고 생각합니다. 오히려 그걸 노골적으로 드러냄으로써 하나의 이야기가 내포한 주관적인 진실의 측면을 사람마다 다르게 다시 생각해 보게 할 수 있다고 봐요. 제 작업에 허구적인 요소가 많이 들어 있다 보니 사람들이 그런 질문을 많이 합니다. 어디까지 진실이고 어디까지가 가짜인지 모르겠다고요. 그게 보는 이들에게 재미를 주고 궁금함을 주는 지점인 것 같아요. 사실과 허구를 막 섞어서 알 수 없게 만들어 놓으니까요. 그런데 저는 제가 지어낸 거짓말이 그럴듯해서 진짜처럼 보이기를 바라는 게 아니에요. 제가 목표하는 것은, 허구와 사실이 따로 존재한다고 우리가 흔히 믿지만 그 경계라는 것은 원래 희미하거나 구분하기 어려운 것이라는 점을 폭로하는 것입니다. 사실이라고 간주되는 것들이 실은 굉장히 주관적인 것으로 시대와 서술자의 편견이나 학습에 따른 결과일 수 있고, 허구는 지금 당장은 존재하지 않지만 어떤 시간대에선가는 존재할 수 있을 절반의 진실이니까요.

사실과 허구의 경계를 모호하게 만들고 싶어서 시작한 첫 작업은 무엇이었나요?

데뷔 작업이라고 할 수 있는 『모나미 153 연대기』부터 그랬어요. 모나미 볼펜에 얽힌 에피소드를 한국 현대사와 엮어 쓴 '가짜 연대기'를 한 권의 책으로 출판하고, 책에 수록된 에피소드를 이용한 페이크 CF 〈모나미 153 볼펜은 왜 단종되었나?〉(2009) 같은 연계 영상을 만들어 전시를 하기도 했어요. 이 작품을 통해 하고 싶었던 얘기는 1960-80년대 군부독재 시절이 한국인이 사고하는 방식에 영향을 많이 끼쳤다는 것이었어요. 제가 반공 교육을 받고 자란 마지막 세대라고 할 수 있을 텐데요. 그 시절의 공기가 우리에게 문화적으로 혹은 시민사회의 태도로서 남긴 것이 크다고 생각했어요. 이 생각을 어떤 방식으로 풀어낼

『모나미 153 연대기』 개정판(2019)
모나미 153 볼펜의 역사와 맞물린 한국 근현대사의 사건을 사실과 허구의 경계에서 추적한다.

까 고민을 했는데, 처음에는 장난이 가미된 시작이었어요. '볼펜 하나만 가지고도 시대에 관해 이야기할 수 있다'라는 아이디어에서 출발을 시킨 거죠. 이야기를 풀어나가다 보니 한국인의 '하면 된다' 정서라든지, 교육과 성실함에 관한 감각이라든지, 강기훈 유서 대필 사건이나 소설가의 육필 원고처럼 '쓰는 것'에 대한 얘기가 많이 등장하게 됐어요. 책에 포함된 이야기 중에 조세희 소설가가 『난장이가 쏘아올린 작은공』의 초고를 모나미 볼펜으로 썼다는 내용이 나오는데, 제가 지어낸 것 같지만 실제로 있었던 일이에요. 그런 이야기들이 등장하면서 '쓴다는 것'에 대한 생각이 하나의 축을 이루게 되었고, 한국이 압축적으로 근대화되고 산업화되는 과정을 전개하기에 산업화 시대의 첨병 같은 역할을 했던 문구용품인 볼펜이라는 사물이 잘 어울린다는 생각이 들었죠.

『모나미 153 연대기』는 볼펜으로, 『사로잡힌 돌』은 돌이라는 매우 흔한 물질로 수많은 이야기를 풀어내세요.

그런 일상적인 사물이 저한테는 중요한 소재입니다. 사물뿐만 아니라 사람들이 무심코 하는 말이라든지, 인터넷에서 보는 사진이라든지, 이런 것들이 숨기고 있는 이야기가 많다고 생각해요. 세상에 존재하는 모든 사물은 내부에 그 사물 이전의 시간과 얽힌 기억들을 가지고 있어요. 그래서 사소한 것에서 출발하는 편인 것 같아요. 또 익숙한 사물이나 단어에 대해 우리는 잘 안다고 생각하지만, 실은 사람마다 다른 역사와 기억과 가치관을 지니고서 그 사물과의 교집합을 통해서 어떤 생각에 도달하는 거잖아요. 예술에서 '이야기'가 작동하는 방식이 근본적으로 그런 것이라고 생각해요. 사람마다 제각기 다른 조건과 삶을 보유하고 있는데 그게 창작자가 던져놓은 이야기의 어떤 측면과 공명하거나 충돌할 때 더 많은 해석과 이입이 가능해지니까요.

아날로그적이고 물성이 있는 사물을 좋아하기도 합니다. 돌 이미지를 아카이브하는 프로젝트였던 두 번째 개인전 『사로잡힌 돌』을 열 때, 우표 콜라주 작업인 〈Unposted Letters〉(2019)도 마지막에 추가했어요. 언뜻 보기에 돌이라는 테마와 상관이 없는 것 같아 보이는데요. 그 작업은 작업과 작업이 우연히 만난 경우예요. 평소에 멸종 동물의 우표를 모으고 있었거든요. 멸종 위기였다가 몇 년 사이에 멸종이 된 동물도 있고, 가장 흔한 건 공룡이 그려진 우표죠. 그러던 와중에 돌 이미지 아카이브 작업을 시작하게 되었는데, 돌 이미지를 모으다 보니까 문득 그 우표들이 새롭게 보이는 거예요. 우표 속에 등장하는 멸종 동물들이 사실 대부분 화석으로만 알려진 존재들인 거죠. 그리고 동물들의 멸종 사유를 찾아보면 대부분 인간이 자연을 지우고, 깎아내고, 콘크리트를 부어 산이나 습지를 없애면서 절멸된 경우가 많아요. 그런 지점에서 콘크리트는 현대의 돌인 것이죠. 아담과 이브를 지운 에덴동산의 풍경 속에 멸종된 동물들의 모습을 모아 넣고 일종의 존재하지 않는 유토피아를 그려보고 싶었어요.

사물의 역사 이면을 주목한다는 점에서 스스로 일종의 발굴하는 사람으로서 정체성을 가지고 있는 걸까요?

맞아요. 세상에는 여러 종류의 아티스트가 있잖아요. 저는 스스로를 '창작자'라고 생각하지 않는 편이에요. 뭔가를 창조해 내는 아티스트보다는 '편집자'에 가깝다고 여깁니다. 세상에는 이미 수없이 많은 소스들이 있는데 그걸 왜 수집하고 어떤 기준으로 재배열하고 편집할 것인가 하는 고민이 제가 작업하는 방식인 것 같아요. 이런 고민 속에서는 '발굴'해 내는 시선이 중요합니다. 『사로잡힌 돌』 작업은, 처음에는 돌에 그냥 꽂혀서 여러 자료를 수집한 게 시작이었어요. 그

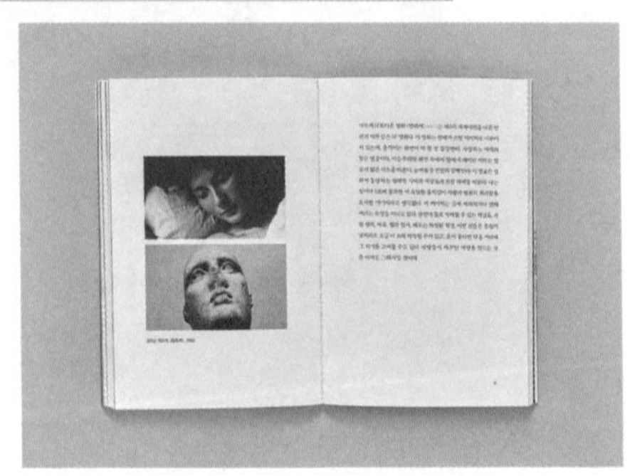

『사로잡힌 돌』 전시와 출판물

러다 제주에 가서 1년 반을 살았는데, 거기엔 정말 돌이 막 도처에 널려 있어요. 이전에는 조금 막연하고 관념적인 관심의 대상이었는데 막상 실물로 거대한 돌들을 자주 대면하게 되니까 인간의 역사와 시간대를 뛰어넘는 무언가에 대해 상상하게 되더라고요. 그때부터 돌 이미지를 수집하기 시작했어요. 저 이전에도 많은 예술가들이 돌에 관심을 가지고 돌을 다룬 작품을 해왔다는 사실도 눈에 들어왔어요. 그때 제가 돌 자체에 관심이 있는 게 아니라 돌을 바라보는 사람들의 시선에 관심이 있다는 사실을 깨달았어요.

관념적인 돌의 이미지라는 것은 무엇인가요?

수석을 보면, 돌 자체로는 아무것도 아닌데 사람은 그 안에서 이미지를 보고, 이야기를 읽어내고, 값을 매기고 그러잖아요. 희귀성을 만들어내고요. 예술의 어떤 작동 방식이 압축되어 있다는 생각이 들었어요. 남근석이나 석탑처럼 사람들이 물성을 가진 사물에 신앙이나 기원의 마음을 투영해서 대했던 것도 돌에 관념이 스며든 현상으로 볼 수 있지요. 그래서 돌이라는 사물에 사람이 부여해 온 다양한 의미를 채집해서 이미지를 제시하고 그 행간을 새롭게 읽게끔 하는 구성으로 전시를 만들고 책을 썼습니다.

책 『사로잡힌 돌』에는 다른 예술 작품이 여럿 등장하는데, 그중 차학경의 『딕테』가 눈에 띄었어요.

저는 아까 말씀드렸듯이 새로 뭔가를 그리거나 촬영하기보다는 기존의 자료를 재구성하는 편을 좋아합니다. 역사적 이미지들이 개인의 기억과 어떻게 조우하는가 하는 문제에 깊은 관심을 지니고 있어요. 파운드 푸티지를 적극적으로 활용하는 것도 그래서고요. 그렇게 작업하다 보면 저작권을 해결하거나 출처를 알아보는 데에 많은 노력을 기울이게 되기도 하는데, 하나의 이미지가 제작된 배경, 이미지를 달리 해석하게 만드는 당대의 조건, 소유와 배포의 문제 같은 다양한 문제들이 함께 소환됩니다. 그런데 아이러니하게도, 가끔은 오히려 출처 없는 사진들, 주인 없이 온라인의 우주에 마냥 떠돌아다니는 이미지들을 대면할 때 생각이 더 다양한 갈래로 뻗어나가게 되는 것 같아요. 차학경이 『딕테』에 넣은 출처 없는 사진들, 일제 강점기에 끌려간 익명의 광부가 갱도의 벽에 새긴 희미한 글자, 얼핏 보아서는 폐허처럼 보일 뿐 구체적인 지역을 짐작하기 어려운 사막 위 붕괴된 성의 풍경, 이런 것들이 저에게 차학경의 디아스포라 정체성을 어떤 문헌보다 선명하게 전달해 주었고, 제가 하나의 돌 속에서 읽어보려 노력했던 돌의 무수한 시간대를 직접 만나게 해줬다는 생각이 들었습니다.

보통 우리가 맘에 드는 책 표지를 봤다고, 원본 출판사에까지 연락해서 표지 사진의 출처를 물어보지는 않는데 끈질기게 추적한 마음은 어디서 기인했나요?

제가 작업을 하는 이유는 그냥 인간을 이해하고 싶어서인 것 같아요. 나를 포함한 인간이 너무 이해가 안 되니까, 세상이 너무 이상하니까, 조금이라도 더 이해해 보고 싶어서 작업을 하는 건데요. 이해하기 위한 수단으로 이야기를 지어보기도 하고 기존에 인간들이 생산한 이미지와 텍스트를 수집하면서 저도 답을 찾아나가는 과정인 것 같아요. 아카이빙이라는 개념을 엄밀하게 설정하고 추구하는 것은 아니지만, 이야기를 만들 때 리서치를 많이 하고 자료를 모으는 게 중요한 부분이긴 합니다. 뭔가를 양적으로나 기술적으로 집대성해서 보여주는 게

아카이빙을 통해 무언가를 보여주는 방식으로 작업을 하는데, 수집이 창작의 원동력일까요?

중요하다기보다 '맥락 짓기'가 저한테는 훨씬 더 의미 있는 것 같아요. 〈돌 탐구 연작〉도 이미지 아카이브라기엔 사실 많이 허술하죠. 이미지가 수천수만 장이 되는 것도 아니고요. 그런데 제가 더 중요하게 생각했던 건 그 자료들을 분류해서 소제목을 짓고 그 안에서 한 장의 이미지와 또 다른 한 장의 이미지가 만나게 하는 거였어요. 수천 장의 이미지를 제시하는 것보다는 단 열 장의 이미지라도 어떤 물음표 아래에 어떻게 배열하느냐에 따라서, 보는 사람이 이미지의 행간에서 다른 이야기를 읽어내고 저와 같거나 다른 질문의 시간을 만날 수 있는 여지를 남기는 게 더 중요한 시도라고 생각합니다. 저의 해석과 누군가의 해석이 만나는 지점이라고 할 수도 있겠죠.

〈해마 찾기〉도 이미지의 멈춤과 배열로 시선에 대한 실험을 한 작품 아닌가요?

인간의 기억이라고 하는 것이 결국 이미지인데, 그 이미지가 대부분은 사진으로 많이 남아 있어요. 실제로 어떤 장면을 목격했던 기억보다는 사진으로 남겨진 이미지가 더 현실처럼 기억에 각인되기도 하고요. 거기에는 물론 의식 차원의 조작과 무의식 차원의 공백이 있을 수밖에 없고요. 그런 식으로 우리한테 들어왔다가 나가는 짧은 찰나의 시간들, 그걸 기억이라고 호명할 수 있을 것 같아요.

〈해마 찾기〉에서 해마는 중의적인 의미로 쓰이는데요. 바다 생물 해마도 있고, 우리 뇌 기관 중에 단기 기억을 장기 기억으로 전환시켜 주는 것도 해마입니다. 우리가 마주하는 역사적 이미지라는 게 우리의 뇌리에 켜켜이 쌓여 있는 시간이 시각화된 것이라고 할 수도 있는데, 그게 사적인 기억들과 어디서부터 어디까지 분리되는지 상당히 불명확하다고 느껴요. 저한테는 그 역사적 이미지들이 인류를 하나의 인생으로 좁혀봤을 때 주마등처럼 스쳐가는 컷들처럼 느껴지기도 해서, 잠시 나타남과 암

〈해마 찾기〉(2016)
'해마'를 중심으로 역사적 이미지와 사적인 기억의 모호한 관계를 그려낸다.

전을 반복하는 스틸 이미지로 보여주려는 시도가 중요했던 것 같고요.

기억을 잃는다는 것은 인간성을 잃는다는 것일까요?

과거의 기억을 잊(잃)는다는 것은 인간성을 상실하는 것이면서, 동시에 지극히 인간적인 것이기도 하다는 생각을 자주 합니다. 〈해마 찾기〉는 우리가 발 딛고 서 있는 현실이 파국처럼 느껴지던 시기에 했던 작업이어서, 한낱 미물인 인간이 그 특유의 주저함과 머뭇거림과 안간힘 속에서, 망각된 역사적 기억을 어떻게 현재로, 내일로 계속해서 당겨올 수 있는가, 그런 질문들을 생각하면서 만든 영상이었습니다.

결과물마다 작업 매체를 다르게 선택한 이유는 무엇인가요?

어떤 작업을 하든 매체나 장르를 미리 정해놓지는 않아요. 저는 먼저 이야기를 만듭니다. 그러고 나서 생각이 어느 정도 진행되었을 때 지금 내가 하려는 이야기가 결과적으로 어떤 아웃풋으로 나오는 게 더 적절하겠다는 판단을 해서 결정해요. 『모나미 153 연대기』 같은 경우 처음에는 영상으로 만들다가 '쓰는 것'이라는 테마의 비중이 늘어나면서 책이라는 형태로 나오는 것이 더 좋겠다는 판단을 하고 방향을 바꿨죠.

〈파란 나라〉 같은 경우, 처음에는 책이 될 수 있겠다고 생각을 했어요. 이 작품이 영상이 된 이유는 순전히 스머프 원작의 테마송 때문이에요. 스머프에 삽입된 곡들은 다 클래식인데요. 그중 가가멜이 등장하는 장면에서 나오는 음악[3]처럼 익숙한 곡들을 골라 영상에 사용했습니다. 메인 테마송을 푸가 형식으로 변주한 곡을 유튜브에서 발견하고 작곡가에게 허락을 구해서 넣기도 했고요. 만

3. 슈베르트 교향곡 8번 「미완성」 Symphony No. 8 in B minor D. 759 「Unfinished」

화처럼 많이 알려진 대중 콘텐츠들은 사람들에게 단번에 그 작품에 대한 기억을 소환시키는 시청각적인 힘이 있잖아요. 그건 책으로는 할 수 없는 일이죠. 그리고 이건 작품에 대한 스포일러지만, 끝까지 보면 이야기를 서술하는 화자가 사실은 스머프가 아니라 스머프 마을에서 함께 도망쳐 나왔다고 서술되고 있는 고양이 아즈라엘이라는 게 밝혀져요. 이 사회에서 몫 없는 존재 중 하나인 길고양이의 목소리를 통해 한국 역사의 한 부분을 서술한 것이죠. 그렇지만 이야기를 풀어나가는 방식에서 그걸 명시적으로 밝히고 싶지는 않았어요. 그저 이미지를 보여주는 방식으로 은근하게 암시하고 싶었고, 그런 방식에는 영상이 더 적합하다고 생각했습니다.

아즈라엘 고양이가 스머프에서 비중이 큰 캐릭터는 아닌데 중요한 부분에 등장을 시키셨네요?

실은 저의 거의 모든 작업에 고양이가 등장하는데요. 고양이를 키운 지 10년 정도 됐어요. 아마 반려동물과 함께 사는 분들이라면 다들 비슷할 텐데, 고양이를 키우고 고양이를 사랑하게 되니까 길에서 돌아다니는 고양이들이 새롭게 보이더라고요. 신기한 일이죠. 보이지 않다가 내 안에 어떤 서사가 생겼을 때 갑자기 보이는 것이요. 길고양이는 우리 가까이에 친숙하게 존재하는데 주체로 호명되지 않는 존재로 볼 수도 있을 것 같아요. 도시 개발의 과정에서 하루아침에 삶의 터를 빼앗기고 이리저리 영역을 옮겨 다녀야 하는 점에서는 철거민, 도시 빈민의 삶과 다를 바 없고요. 그런 의미에서 〈파란 나라〉에는 꼭 필요한 캐릭터였습니다.

허구를 바탕으로

명확한 차이가 있습니다. 음모론은 어떤 이야기를 사람들이 믿었으면 해서 만드는 거지요. 반

작업하는데 페이크 다큐라고 명명하는 이유는 이야기를 수단으로 어떤 맥락을 전달하기 때문일까요? 음모론과는 어떤 차이가 있을까요?

면 페이크 다큐는 어떤 이야기를 다시금 불신하게 만드는 것이 목적이라고 생각해요. 그래서 우리가 생각하고 있던 역사적 진실 같은 것들이 매순간 사실은 갱신될 수 있고 갱신되어야 한다는 걸 말합니다. 앞서 창작을 한다는 것이 삶과 인간에 대해 이해하고 싶어서 나름의 질문을 하는 과정인 것 같다고 말했는데요. 저는 작품을 보는 사람들도 수용하는 방식이 아니라 질문을 하는 방식으로 접근했으면 좋겠어요. 그러기 위해서는 제가 어떤 명료한 주장을 내놓거나 아니면 아주 정확한 묘사로 현실을 제시하거나 하는 방식은 어울리지 않는 것 같아요. 그리고 이야기를 전달하는 화자의 성격이 단일하지 않고 복합적인 정체성을 가졌으면 해요. 어떻게 보면 연구자의 태도이고 어떻게 보면 거짓말을 지어내는 소설가의 태도인데, 이런 것들이 하나로 섞여 있을 때 이야기를 받아들이는 사람도 하나의 정답이 아니라 자신의 세계에서 발생하는 물음표들을 대면하면서 이야기를 소화하게 될 거라는 생각이 있어요.

이야기를 만드는 분이시니 시대의 변화 속에 이야기도 변한다고 느끼시나요?

최근에 흥미로운 이야기를 들었어요. 어느 만화가에게 이야기를 어떻게 쓰는지 물어봤더니 "불이 다 꺼진 캄캄한 상황에서 플래시를 탁 켜고, 딱 보이는 것에 대해서만 쓴다"고 대답했다고 해요. 넷플릭스 콘텐츠의 성격을 가장 잘 설명하는 말이 아닐까 싶은데요. 웹툰에서 전사(前史)가 서술되면 "고구마 서사"라는 댓글이 달린다고 하죠. 사람들이 사회적, 역사적 배경 설명 같은 걸 싫어하는 거예요. 일단 지진이 나거나 아니면 괴물이 등장하거나, 이렇게 충격적인 상황부터 던져준 다음 그 충격을 뒤좇아 가는 식으로 이야기를 전개하게 됐다는 거지요. 저는 정말로 그렇게 이야기의 서술 방식 자체가 변화하고 있다는 생각이 많이 들어요. 단순히 웹툰이나 넷플릭스 콘텐츠뿐만 아니라 다른 예술 영역에까지 영향을 미치고 있다고 느껴지고요.

그런 면에서 저는 시대에 안 맞는 사람일 수도 있는데, 전사를 너무 중요하게 생각하거든요. 모든 일에는 그 상황이 있게 된 사회구조적 맥락과 이유라는 게 있는데, 물론 그 맥락과 배경이 반드시 표면적으로 드러나야 하는 것은 아니고 전략적으로 소거하는 방식도 있겠지만, 청자들이 그걸 원하니까, 조회수(시청률이나 흥행 성적)가 안 나오니까, 이런 이유로 택하는 방식이어서는 안 된다고 생각해요. 닭이 먼저인지 달걀이 먼저인지는 모르겠지만 아마도 서로 영향을 주고받는 것이겠죠.

제가 생각하는 '좋은 이야기'는 하나의 장면이 그 찰나 전후의 기나긴 시간대와 그 사이에 존재하는 숨겨진 장면들을 최대한 많이 포함하고 있는 이야기인 것 같아요. 플래시를 켜서 보이는 곳만 묘사하는 방식은 사람들이 세상을 보는 방식을 제시하는 것이기도 한데, 그런 시점이 우리를 탈역사적이고 탈정치적으로 만들어간다고 생각해요. 점점 더 주변의 것을 보지 않게 만드는 현상이 다 연결되어 있는 게 아닐까 싶어요. 지금 우리가 직면한 많은 문제들이 실은 거기에 기인하는 것 같아요. 사람이 세상을 보는 시선을 더 확장시키고 더 많은 타인을 보게 만드는 것도 예술의 임무 중 하나라고 생각해요. 그렇다면, 조금은 느리지만, 또 지루할 수는 있지만, 눈앞에 보이는 것 외의 것을 포함하려고 하는 이야기들이 계속 생산되어야 한다고 믿습니다.

만드는 입장에서는 큰 차이를 못 느껴요. 아마**제작 과정에서**
제가 영상을 제작할 때 특별히 많은 스태프를 필

김영글 작가 작업 과정

이야기를 구성할 때 영상과 책이라는 두 매체의 차이를 느끼는 게 있으세요?

요로 하지 않고, 기존의 푸티지나 자료를 최대한 많이 활용해서 최소한의 인원으로 작업을 하는 편이라 그럴 수도 있을 거예요. 개인적으로 영상이나 책이나 '이야기를 들려준다'는 점에서는 비슷하게 느껴지거든요. 둘 다 시간의 흐름에 따라 이야기를 전개시키고 이미지와 텍스트를 배열해서 구성하는 방식의 작업이잖아요. 형식적으로도 첫 화면에 영화 타이틀/책 제목이 있고, 그다음에 이야기가 순차적으로 전개되고, 마지막에 엔딩 크레딧(서지 정보)이 뜨는 것까지, 제 눈에는 흡사해 보여요. 책의 페이지가 한 장 한 장 넘어가는 것은 씬(scene)이 전환되는 것처럼 보이기도 하고요. 조각이나 회화와 같은 매체와 달리 확실한 시간성과 서사성에 기대는 매체입니다. 차이가 있다면, 책은 1:1의 매체이고 개인적으로 수용 가능한 매체라는 점에서 영화와는 관객과 대면의 방식이 다르죠. 저는 전시를 할 때도 고집스럽게 책 작업을 놓고 전시장에서 사람들이 책을 들춰보게 만들지만, 책은 그런 열린 공간에서도 개인적인 타임라인을 갖게 해요. 이야기를 어디서 끊을지도 개인이 선택하는 것이고, 한 권 구입해서 자신의 책장에 꽂았다 다시금 펼쳐서 읽을 수도 있는 매체니까요. 영상은 전시장이나 영화관에서 말 그대로 흘러가는 시간성을 다루기 때문에 수용자가 더 수동적이 될 수밖에 없는 한편, 경험적 차원에서 그 순간에만 발생 가능한 어떤 반짝이는 감각의 발견 같은 것도 있다고 생각해요.

사실 제가 책 작업을 지속적으로 하는 이유는 유통과 배포의 문제 때문인데요. 작업이 얼마나 더 멀리까지 갈 수 있는지를 점점 더 생각해 보게 됩니다. 미술이라는 장르는 사실 생산자와 소비자가 거의 겹쳐 있는, '이너 써클' 안에서 이루어지는 활동이라는 생각을 한 지 오래되었어요. 물론 그러한 구조, 대여섯

명만 이해해 줘도 괜찮을 작업을 만들어낼 수 있는 조건이 아직 남아 있는 것도 의미가 있습니다. 하지만 어떤 이야기가 더 많은 사람에게 가닿았으면 좋겠다고 생각될 때는 출판이라는 플랫폼을 생각하게 되는 것 같아요. 판매를 한다고 해도, 미술은 소수의 사람이나 기관이 비싼 값을 주고 작품을 소장하는 방식일 수밖에 없어요. 그런데 책이라고 하는 것은 어떤 작업을 인쇄물의 형태로 1,000권 찍어서 1,000명의 사람에게 1만 원이라는 돈을 받고 배포할 수 있고, 더 보편적인 수용자를 상정할 수 있다는 점에서, 그리고 더 멀리 이동시킬 수 있다는 점에서 특별한 장점이 있다고 생각합니다.

문학이라는 것도 텍스트를 통해서 보는 사람이 상상력을 펼칠 수 있게 하는 도구잖아요. 그런데 왜 문학 작가가 아니라 미술가가 되고 싶으셨나요?

제가 책으로 결과물을 내는 작업을 많이 하다 보니 당연히 받을 수 있는 질문이라고 생각해요. 데뷔 초에는 저 스스로도 고민이 없지 않았어요. 나는 글을 쓰는 사람인가 아니면 미술을 하는 사람인가. 그런데 이제는 나름의 정리가 되었어요. 질문 자체를 좀 바꾸는 게 어떨까 하는 거죠. 내가 어떤 텍스트를 생산한다면 그것이 "어떤 종류의 글쓰기인가", "어떻게 작동하는가" 하는 질문으로요. 기본적으로 저는 미술이 상당히 유연한 매체이고, 포용력이 큰 그릇이기 때문에 다른 많은 장르들을 포섭할 수 있는 것이라고 생각하고 있어요. 그런데 사실 요즘은 문학 내에서도 실험이 다양하게 일어나고 있기 때문에 미술의 글쓰기가 특별히 다른 것이라고 말할 수 있는지 잘 모르겠기도 해요. 그저 제도의 문제일 뿐이라고 볼 수도 있어요. 미술이라는 그릇 안에 텍스트를 담으면 사람들은 그것을 미술이라고 부르고, 등단을 거친 사람이 텍스트를 내놓으면 그것을 문학이라고 부를 테니까요. 제가 장기적인 과제로 가져가려는 것은 어쨌든 특정 장르의 경계에 얽매이지 않는 글쓰기를 계속 시도하는 것이고, 그러한 글쓰기의 기능에 관해 계속 고민하는 것입니다.

이 작업은 '검정'에 대한 책인데, 여러 형식의 텍스트가 모여 있는 책입니다. 이야기의 화자가 계속 바뀌어요. 일기처럼 1인칭 시점의 글도 있고, 화자와 주인공이 따로 존재하는 3인칭 서술 시점의 글도 있고, 대화나 대담, 뉴스, 편지글 같은 인용도 있어요. 다양한 출처와 성격과 온도의 텍스트들을 오히려 구분 없이 한 덩어리로 묶어놓

『노아와 슈바르츠와 쿠로와 현』이라는 책은 챕터가 나뉘어 있지 않고 모두 하나로 연결되어 있습니다.

『노아와 슈바르츠와 쿠로와 현』(2021)
'검정'의 스펙트럼을 다양한 시점에서 탐구한 책

는 방식을 일부러 택한 거고요. 그 속에서 '검정'이라고 하는 것이 실은 굉장히 다양한 스펙트럼을 가지고 있다는 것을 말하고 싶었습니다. 먹, 블랙홀, 흑사병, 만년필, 블랙박스, 카메라, 타투 등 '검정'과 연관된 여러 소재들을 파편적으로 등장시키면서도, 감염병이라는 시대 상황에 직면한 지금의 현실을 환기하는 과정에서 하나의 전시를 구성하듯 이야기를 풀어 나갔습니다.

이야기를 짓는 사람과 이야기를 직접 말하는 사람으로서 전달하는 차이가 있다고 생각하시는지요?

저는 '이야기하는 사람'이 스토리텔러이기도 하지만 '이야기' 자체가 스토리텔러라는 생각을 많이 합니다. 저의 생각을 씨앗 삼아 리서치를 하고 글을 써나가다가도, 어떤 순간에는 제가 이야기를 만드는 게 아니라 이야기가 그다음 이야기를 만들어간다는 생각이 들 때가 있어요. 저도 모르는 사이에 이야기들이 자기들끼리 만나서 붙거나 멀어지고 그다음 길을 저한테 보여주는 것 같은 느낌이 들어서, 그걸 그저 따라가면서 작업을 한다는 느낌이 자주 듭니다. 그건 자동기술법처럼 랜덤한 연상을 따라간다기보다는, 제 안에 축적된 시간, 또는 제 무의식 안의 또 다른 제가 세상과 대면하면서 그간 언어화하지 못했던 것들을 다듬는 과정이 아닐까 싶어요. 내레이션을 직접 하는 것도 별다른 이유가 있어서는 아니고, 저 혹은 제가 만난 스토리텔러로서의 '이야기'가 그때그때 등장해서 사유의 과정을 들려주는 것이 다른 배우를 쓰는 것보다 자연스럽게 느껴져서입니다.

앞으로의 작업 계획을 들려주세요.

영상 상영이나 미술 전시도 나름의 매력이 있지만 일회적이고 휘발적인 방식에 지칠 때가 있는데, 그래서 출판이라는 형태를 통해 대상과 1:1의 관계로, 자율적인 타임라인 속에서 만나는 일에 점점 관심을 기울이게 됩니다. 더 안정적인 플랫폼을 가지고서 책을 만들고 싶다는 바람으로 2019년부터 1인 출판 스튜디오를 운영하고 있습니다. 이름이 '돛과닻'인데, 책이라는 존재가 우리를 가본 적 없는 머나먼 곳으로 데려다주는 돛이면서 동시에 두 발을 현실에 튼튼하게 뿌리내리게 하는 닻이기도 하다는 생각을 담았습니다. 책의 자리에 예술을 넣는 것도 가능하겠고요. 개인 작업 외에도 동료 예술가들과 이런저런 협업을 모색하며 부지런히 책을 만들어 나가는 중입니다. 앞으로 소규모 자본으로 가능한 대안적인 출판 실험을 조금 더 해보고 싶고, 영상 작업은 긴 호흡을 가지고 천천히 준비하려고 합니다.

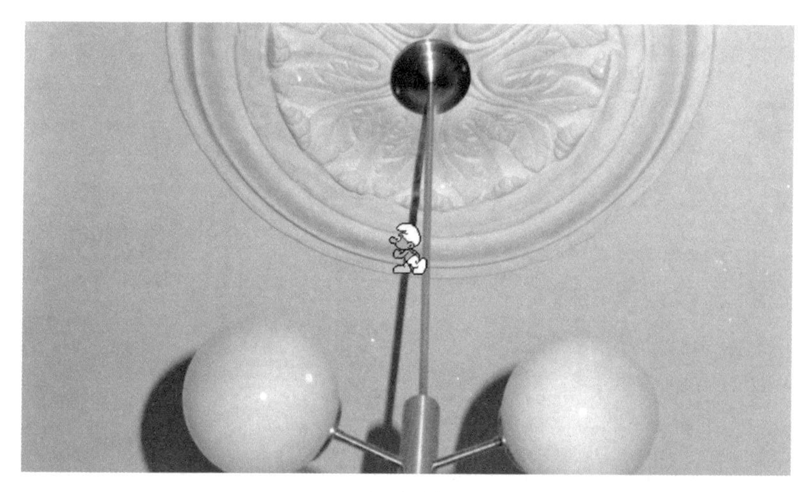

〈파란 나라〉

오재형

스스로를 예술잡상인으로 부르는 오재형은 광주에서 태어났다. 대학에서 동양화를 전공했으나 2015년부터 본격적으로 영상 작업을 시작했고 현재는 피아니스트로 전국을 돌며 상영과 공연을 통해 사람들을 만나고 있다. 최근에는 공황장애를 다룬 에세이 『넌 생생한 거짓말이야』에 이어 두 번째 책 『피아노를 치며 생각한 것들』을 출간했다. 작가의 독특한 이력은 관습에 대한 저항이나 대안이라기보다 장르적 구분이 있다는 틀 자체를 사라지게 하는 방식으로, 자신에게 가슴 뛰는 이야기를 가장 잘 드러낼 수 있는 형태를 찾는 방식으로 쌓이고 있다.

아름다운 자연을 화폭에 담던 그는 제주 강정마을을 다녀오고 영화를 만들기 시작했다. 그 첫번째로 〈강정 오이군〉(2015)은 강정마을의 현실을 바꿀 수 없는 답답한 심정을 '오이군'이라는 캐릭터로 분해 자신의 자리에서 할 수 있는 것을 실천하겠다는 마음을 선언하는 작품이다. 이후 과학적으로 증명되지 않는다는 공통점을 가진 공황장애와 UFO 현상에 대한 〈덩어리〉(2016), 삶의 터전을 빼앗긴 사람들과 그들의 투쟁을 기억하기 위해 제작한 〈블라인드 필름〉(2016), 광주 5.18재단의 오월음반 뮤직비디오 〈봄날〉(2018), 도시에서 쫓겨나는 사람들을 그린 〈보이지 않는 도시들〉(2021), 그리고 이 모든 여정을 담아낸 배리어프리 장편영화 〈피아노 프리즘〉(2021)까지 어느새 자신에게서 출발한 창작의 여정은 타인의 삶을 이야기하고 있다. 그 작품들은 부산국제영화제, 제천국제음악영화제, 서울독립영화제 등 다양한 곳에서 초청받으며 그 확장력을 인정받고 있다.

오재형의 작품은 사회 부조리에 대항하는 거대한 저항의 운동이라기보다 타인에 대한 상상력을 불러일으키기 위한 소박한 행위로 한 사람이라도 더 품을 수 있는 배려 깊은 사회를 가꾸고픈 작가의 의지를 보여준다. 특히, 가족의 삶과 주변의 예술을 통해 '장애'에 대한 관심이 생긴 작가는 보이지 않고 들리지 않는 세계에 대한 고민을 작품으로 표현하고 있다. 장애는 어떤 계기로 생기는 것일 수도 있지만 타인의 불편함을 외면하는 마음이 우리 내면에 자리 잡은 장애일 수 있음을 작품의 형식을 통해 유도하며 단단한 비장애인의 생각에 틈을 만들려 한다. 또한 행동하는 예술가로서의 정체성이 만들어내는 '오재형 쇼'는 영상과 피아노 연주가 혼합된 형태로 자신이 삶에서 느낀 아름다움과 슬픔의 순간을 충실하게 사람들에게 보여주고 들려준다.

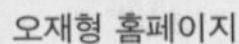
오재형 홈페이지

〈피아노 프리즘〉(2021) 트레일러

(위) 「FOR FOREST」, 캔버스에 오일, 91×91 cm, 2016
(아래) 「BLUE FOREST」, 캔버스에 오일, 91×91 cm, 2015
작가가 매일 그린 동네 뒷산

은퇴한 화가, 영화감독, 피아니스트. 이렇게 다양한 경로로 스스로를 변화시킨 이유를 듣고 싶습니다.

모든 것의 시작은 〈강정 오이군〉이라고 할 수 있어요. 학교를 다닐 때 저는 골방예술가여서 사회 문제에 대해서는 잘 알지 못했고 숲이나 자연을 주로 그렸어요. 그러다가 졸업을 하고 나서 우연히 제주 강정마을에 대한 뉴스를 접했는데, 해군기지 건설 반대운동에서 당시 쟁점이 '구럼비 바위 폭파'였어요. 나도 자연을 그리고 있는데 자연이 파괴된다, 나는 자연의 아름다운 점만 그리고 있는데 자연 때문에 사람들이 투쟁을 한다고 하니 궁금하더라고요. 그래서 제주도를 갔고 결과적으로만 보면 〈강정 오이군〉이라는 단편영화를 만들게 된 거죠.

누구나 자연의 파괴에 대해서 안타까워하지만 그렇다고 자신의 문제로 치환하거나 투쟁 현장에 바로 달려가지는 않을 것 같은데요.

보통 추상적인 개념으로 자연을 떠올릴 수 있지만, 제가 그린 숲은 누구나 다 알 만한 유명한 절경이 아니었어요. 제가 살던 곳이 오류동이었는데요, 저희 집 바로 뒤에 산이 있었어요. 누가 알아주지도 않고 아무도 몰라도 제겐 그 숲이 너무 아름답고 다른 숲과는 다른 특별한 무언가가 느껴졌어요. 햇살 좋은 날에 산책을 하면 마치 별빛이 가득한 우주 같았거든요. 우주의 입구, 대우주, 소우주, 요정들의 집, 이런 식으로 제가 이름을 붙여주기도 했어요. 그래서 저는 그 숲만 그렸어요. 이후 강정마을 소식을 뉴스로 접한 뒤에는 '그 사람들에게는 구럼비 바위가 나의 뒷산과 같겠구나'라고 감정이입이 됐죠. 만약 내 숲이 파괴된다면 나도 저렇게 나설 것 같다는 생각이 들었거든요. 별로 거창하지 않은 이유이긴 하지만 제가 강정 사태에 반응하게 된 계기였어요. 제주도를 가겠다고 결심했는데 제가 몸빵을 할 수 있는 체격이 아니라서 큰 걸개그림을 그려서 갔어요. 뭐라도 도움이 되고 싶었거든요. 그 그림으로 1인 시위를 하기도 했고요. 처음 그곳을 방문했을 때가 2012년이었는데 강정 투쟁의 절정기로 사람들이 각지에서 몰려들고 있었어요. 그곳에서 사회 부조리를 느끼기도 했지만 또 한편으로는 공통의 문제의식을 가진 사람들과 만나는 게 너무 재미있었어요. 인생에서 만나보지 못했던 신기한 사람들이 있었고, 함께 춤추고 놀고, 술도 마시고, 그 속에서 만나고 헤어지기도 하는 '인맥의 플랫폼' 같은 분위기가 있었거든요. 길가 편의점에서 두 명이서 막걸리를 먹기 시작했는데 열다섯 명으로 불어나 있는 상황이 자연스럽게 펼쳐지는 거예요. 물론 그 중심에는 강정마을에서 일어난 말도 안 되는 상황에 대한 열띤 논의가 있었죠. 게다가 막상 강정을 가보니 환경 문제뿐만 아니라 동북아시아 평화, 국가 폭력과 같은 여러 층위의 문제가 연결되어 있어서 스펀지처럼 그런 의식을 흡수하는 계기가 됐어요.

그렇게 제주와 서울을 오갔었는데, 제가 그때 감흥을 받았던 것은 그곳에 있던 예술가들을 통해서였어요. 우리나라 투쟁 현장에 예술가들이 활동가로 등장한 역사는 '대추리'에서 시작됐다고 알고 있어요. 예술로 투쟁을 하는 '현장 예술가'라는 개념인데, 그곳에서 시작해서 콜트콜텍 정리해고, 밀양 송전탑 사태, 쌍용차 사태, 용산 참사, 강정까지 현장 예술가들의 맥이 이어진 것이죠. 그런 분들의 예술 활동은 학교에서는 전혀 배우지 못했던 거였어요. 저는 학교를 막 졸업한 직후라서 전시 한 번 하고 이력서 한 줄 추가하는 게 너무 절실하던 시기였는데, 이 사람들은 이력에도 넣을 수 없는 예술 활동을 거리에서 하고 있는 거예요. 기타를 친다거나 땅바닥에 그림을 그린다거나 무언가를 기획해서 어떤 활동을 도모한다든가. '공사장 앞에서 짜파게티를 먹자'부터 시작해서 강정국제평화영화제에 이르기까지 당시 수많은 예술 기획들이 강정에서 산발적으로 일어났어요. 저도 기회가 될 때마다 제주도를 오고 가다가 2015년에 강정에서 일주일간 영화 워크숍을 한다고 해서 '이걸 핑계로 또 강정에 가야겠다'라는 생각이 들었고 그때 수료작으로 발표한 단편이 〈강정 오이군〉이에요. 100년 전 강정 앞바다에 잠들었던 오이군이 깨어나 오랜만에 고향을 방문하는데, 목격한 광경이 해군기지 건설로 인해 파괴되고 있는 마을인 거죠. 공간을 지키기 위해 현장에서 주민들과 함께 오이군도 시위에 참여한다는 내용이에요. 클레이로 '오이군'이라는 캐릭터를 가지고 만든 일종의 무능력한 히어로물인데요. 운 좋게도 그게 20회 인디포럼에 선정돼서 영화제에서 상영을 하게 되었어요. 그 계기로 영화로 시선을 더 돌리게 됐죠.

〈강정 오이군〉은 씁쓸한 여운을 남깁니다. 영화는 끝나지만 현실의 투쟁은 끝나지 않았기 때문일까요?

맞아요. 해군기지를 둘러싼 갈등과 투쟁은 아직 끝나지 않았고, 앞으로도 긴긴 시간 동안 계속될 것 같아요. 영화 속에서 오이군은 무능력한 히어로지만 그래도 타인의 슬픔에 공감하는 능력치를 넣어주었어요. 마지막 장면에서는 강정마을에서 공사 중인 현장을 향해 같이 절을 하죠. 그 연대의 마음을 엔딩 씬에 표현하고 싶었어요.

영화를 만들며 그림도 계속 그릴 수도 있을 텐데 스스로

여러 가지 이유가 겹쳐 있었어요. 2011년부터 전시를 했는데 어느 순간 그림이 지겹고 잘 안 풀리더라고요. 개인적으로 그림을 그리는 것에 대한 흥미가 떨어진 이유도 있었지만 미술계라는 인정 투쟁의 장에서 스스로 실패를 했다는 생

〈강정 오이군〉(2015)
작가의 분신 '오이군'이 강정마을에서 사람들과 함께 절을 하는 모습

'은퇴한 화가'로 선언하셨어요.

각이 들었어요. 사람이라면 누구나 욕심이 있으니 위로 올라가고 싶은데 공모전이나 지원사업에 작품을 내면 계속 탈락해서 한계를 느낀 부분도 있고요. 미술계는 지원서를 백 군데 넣어도 한 곳이 될까 말까 한 상황인데 그 와중에 영화는 열 군데를 내면 어딘가 한 군데는 계속해서 뽑아주는 거예요. 또 영화제는 기본적으로 축제의 장이기 때문에 사람들이 모이는 곳이에요. 영화제가 열리면 사람들끼리 만나서 술 먹고 놀고 작품 이야기도 할 수 있다는 점이 좋았어요. 영화제에서 계속 날 불러주니까 그런 상황들이 재미있더라고요. 그렇지만 이 질문에 대해 한마디로 정리하자면 '그림에 대한 사랑이 지나갔다'예요. 그 사랑이 언제 다시 찾아올지는 모르기 때문에 조금 아련한 느낌을 안고 은퇴를 한 것이죠.

　저는 이제 영상으로 그림을 그린다고 생각해요. 그림이라는 매체를 제 작품 안에서 사용하지 않겠다는 것이 아니라, 캔버스라는 평면 안에서 무엇인가를 발견해 내려는 제 모습, 화가로서의 정체성은 끝났다고 생각하는 거죠.

〈강정 오이군〉 이후에 어떤 변화가 있었나요?

그림을 좀 쉬어야겠다고 생각하던 찰나에 '일년만 미술관'[1]이라는 신생 공간에서 개인전을 개최하자는 연락을 받았어요. 젊은 작가 7인이 모여 만든 전시 공간이었는데 기획자들이 어떤 제한 없이 하고 싶은 작업을 해보라고 제안을 주더라고요. 옛날에 취미로 했었던 피아노 연주와 영상으로 무언가를 해보자, 라는 패기가 있었고, 짧은 기간이지만 사회 부조리를 느꼈던 여러 사태들을 생각하며 〈블라인드 필름 (BLIND FILM)〉을 만들었어요. 당시 전시 제목도 영화와 동일하게 정하고 공인

1. 젊은 작가 7인이 만든 등촌동의 전시 공간으로 2015.12.-2017.1.까지 1년 동안 운영됨.

된 폭력 앞에 삶의 터전에서 계속 쫓겨나는 사람들의 이미지를 로토스코핑 애니메이션 방식으로 작업했어요. 이 작품을 보고 사람들의 마음속에 한 번이라도 강정마을, 세월호, 밀양, 옥바라지 골목 등의 단어를 떠올렸으면 하는 바람이었죠. 전시장에서는 영상 상영과 피아노 연주가 어우러진 라이브 퍼포먼스를 매일 진행했어요.

실사 영상을 바탕으로 한 프레임씩 애니메이션으로 만드는 '로토스코핑 기법'을 선택하신 특별한 이유가 있나요?

새로운 작업은 새로운 형식으로 도전하고픈 욕구가 항상 있는 편인데, 로토스코핑 애니메이션은 예전부터 한번 해보고 싶었어요. 제가 페인팅을 했을 때 구현했던 붓질의 느낌을 넣어서 애니메이션을 해보면 어떨까 하는 마음이 들었죠. 특별한 이유보다는 이런 형식이 작품에 잘 어울릴 것이라는 감이 전부였어요. 그런데 나중에 생각해 보니 프레임별로 한 땀 한 땀 고된 노동이 들어가는 로토스코핑 애니메이션의 방식이 투쟁 현장의 지난함과 닮아 있다는 생각도 들었고, 제가 못 치는 피아노를 열심히 연습하는 과정과도 비슷하다고 생각해서, 결과적으로도 잘 어울렸다고 생각합니다.

『블라인드 필름』 전시를 개최할 당시, 열흘 동안 하루에 2시간씩 전시장을 열고 피아노 연주를

제가 사회적 이슈를 접하고 현장에 가서 가장 많이 느끼는 감정이 바로 '무력감'이에요. 승리보다는 패배의 경험이 더 많으니까. 그럼에도 불구하고 자신의 자리에서 무언가를 하시는 분들이 있잖아요. 감당할 수 있는 고행이라고 언급한 것은 저도 제가 할 수 있는 게 무엇인지 알고 내가 가장 좋아하고 즐거워하는 방식으로 투쟁을 하

했다고 들었어요. 영상 작업 역시 2,837개의 개별 이미지를 엮어 만드셨습니다. 작업 노트에 스스로도 '작가는 감당할 수 있을 만큼의 고행을 한다'라고 언급하셨는데요, 이렇게 수행을 동반해서 작업을 하시는 이유를 듣고 싶습니다.

고 싶다고 생각했기 때문이에요. 거주지를 뺏긴 사람들의 상황을 마주했을 때 달려가서 내 거주지를 그들처럼 옮긴다거나, 용역에 대항해서 몸을 섞고 하는 건 저와 맞지 않다는 생각이 들었어요. 처음에는 투쟁 현장에서 구호를 외치는 게 너무 어색해서 립싱크를 하기도 했거든요. 그래서 나에게 맞는 방식으로 투쟁을 해야겠다고 마음을 먹게 되었죠. 저에게 맞는 방식 중 하나로 선택한 것이 공연이었어요. 공연을 한다는 것은 저에게 너무 긴장되는 일이지만 사람들의 반응이 영화 상영과는 너무 달랐거든요. 「블라인드 필름」도 공연으로 마주했을 때 훨씬 더 압도적이에요. 제가 긴장을 하면 관객도 긴장을 해요. 춤을 추든 구호를 외치든 제가 이미지 앞에서 뭔가를 하고 있는 사람이라는 걸 인지하고 동기화되는 것이죠. 제 퍼포먼스가 열리는 곳이 투쟁 현장은 아니지만 현장감을 통해 사람들에게 미세한 파동을 전달하고 싶어요. 긴장하고 설렐 수 있다는 게 저에게는 굉장히 소중한 감정입니다. 물론, 투쟁 현장에서 느꼈던 격렬한 감정은 시간이 지날수록 당연히 무디어지는데요. 정기적인 공연을 통해 그때 받았던 감정을 매년 다시 불러올 수 있어요. 그래서 공연을 계속 하게 됩니다. 상영만 하는 방식은 '재생'하면 그만이지만, 공연의 경우 제가 며칠을 준비해야 된다는 점에서 마음가짐도 다르고요. 그리고 공연을 했을 때 저의 이런 마음들이 관객들에게 훨씬 잘 전달된다는 느낌을 받았어요. 끝나고 저에게 말을 거는 관객의 표정에서 확연하게 드러나거든요. 제가 피아노를 너무 좋아하기 때문에 자꾸 공연을 고집하는 것도 있지만, 또 아직 해결되지 않은 사회 문제 앞에서

「블라인드 필름」 퍼포먼스

뭔가 긴장된 몸을 움직여서 꾸준히 행동하는 사람이길 원해요. 그 모든 것들이 저에게는 공연으로 수렴되고 있고요.

지금까지 작품도 공연도 혼자 독립적으로 하고 있어요.

1인 제작 시스템의 가장 큰 장점은 '하고 싶을 때 할 수 있다'는 점이죠. 제 작업실이 크지는 않지만 이 조그만 공간에서 거의 모든 작업을 진행하는 이유이기도 해요. 협업의 짜릿함을 모르는 것은 아니지만 미술하던 습관으로 작업을 하다 보니 혼자 하게 돼요. 그리고 큰 불편함을 잘 모르겠어요. 제작 지원비 없이 좁은 방에서 여러 미장센을 구현하려면 당연히 공간적, 자본적인 제약이 따르는데요. 그 제약들을 오로지 아이디어와 상상력으로 대체해 나가는 것도 혼자 하는 큰 즐거움 중 하나죠.

회화, 영상, 퍼포먼스를 동시에 구현한 작품 〈보이지 않는 도시들〉은 어떤 계기로 시작했나요?

이탈로 칼비노(Italo Calvino)의 소설 『보이지 않는 도시들』을 읽고 도시에서 쫓겨나는 사람들 이야기를 해보고 싶었어요. 그래서 책에 나오는 도시 55개를 그려보자는 생각을 하게 됐고요. 나중에는 이 작업이 영상으로도 만들어지지만 첫 출발은 그림이었어요. 『보이지 않는 도시들』은 도시에 관한 소설인데 강정마을을 알게 되고 쫓겨나는 사람들에 대해서 고민을 하고 있던 터에 만난 책이라 더 관심이 갔어요. 젠트리피케이션, 도시 문제로까지 저의 관심사가 넓혀지던 시기이기도 했고 당시 그림을 그리는 것에 지겨움을 느끼고 있어서 새로운 돌파구를 마련해 보자는 마음으로 '이 책에 나오는 도시를 하나하나 그려보자!'라는 생각을 갖게 되었죠.

소설에 도시가 55개 나오는데 한 10장쯤 그렸을 때 여기에 내 생각을 곁들여 보면 어떨까, 라는 아이디어가 떠올랐어요. 칼비노가 묘사하는 환상적인 이미지 그대로를 옮겨오는 방식이 아니라 더 적극적으로 내 해석을 넣어보고 싶다는 생각을 한 뒤부터는 그림이 조금씩 달라지더라고요. 워낙 소설이 시적이고 은유적이라 그 방식 그대로 접근했어요. 칼비노도 여러 개의 입구와 출구가 있는 소설을 만들고 싶다고 했는데 나도 그림에 나만의 입출구가 있는 구조를 구축해 보자, 라고 생각을 하게 된 것이죠. 여러 번 읽었지만 어떤 장은 어떻게 읽어도 세월호 이야기로 수렴되고, 어떤 장은 강정마을이 떠오르기도 했어요. 『보이지 않는 도시들』은 마르코 폴로가 세계 여행을 한 후 발견한 도시에 대해 이야기한 내용이지만 저는 이 도시를 서울 안에서도 발견할 수 있다고 생각했거든요. 이 도시들이 은유의 세계라면, 멀리 떨어진 것이 아니라 서울 광화문 광장 안에서도 발견할 수 있는 도시라는 생각이 든 것이죠. 그래서 내가 봤던 것만으로 '보이지 않는 도시'를 만들어보자고 방향을 선회하게 되었어요. 그림은 50개 정도 그렸지만 영상에 옮겨온 작업은 7-8개 정도였어요. 제가 「블라인드 필름」 공연을 하고 있을 때 어딘가에서 초청을 받았는데 주최 측에서 다른 영상 작업은 없는지 물어 보시더라고요. 그래서 '보이지 않는 도시들'의 그림을 조금씩 움직이게만 해봤다가 이 그림을 이용해서 새로운 영상을 만들어보자! 하고 생각한 것이 지금의 형태가 됐어요. 마지막에 배리어프리까지 생각을 하고 내레이션을 입히게 되었어요.

〈블라인드 필름〉, 〈보이지 않는 도시들〉 두 작품의 제목 모두 '보지

지금은 저도 보려고 하지 않기로 마음먹으면 볼 수 없는 사람들을 표현했다는 뜻으로 해석하고 있지만 처음 제목을 붙인 이유는 〈블라인드 필름〉을 처음 공연의 방식으로 선보일 때 연주했던 곡이 피아니스트 이루마의 「블라인드 필름」

이었기 때문이에요. 은유적인 이 제목이 단순히 마음에 들어 영상 제목으로 갖다 쓰게 되었어요. 물론 원작자의 허락은 맡았습니다.

못한다'는 공통점을 담고 있어요.

〈덩어리〉는 공황장애를 겪은 제 경험담을 만든 영화인데, 겪은 사람은 알겠지만 이 질병이 굉장히 특이해요. 실제로 의학적으로 관찰 가능한 몸의 이상은 발견되지 않는데, 귀신이 씐 것처럼 몸 여기저기가 고통받는 원리거든요. 공황장애가 작동하는 방식이 굉장히 흥미롭다고 생각했어요. 있는데 없는 거죠. 없는데 있는 것이고요. UFO 현상과도 일맥상통하는 부분이 많다고 느꼈어요. 분명 목격했는데 확실하게 증명할 수 없잖아요. 그래서 UFO와 공황장애의 공통점을 연출점으로 묶어 만든 영화입니다. 스스로 치유의 목적으로도 제작했기 때문에 만들고 나서 공황장애를 향한 자신감(?)이 생기기도 했어요. "나는 널 이렇게 영화로 만들어서 가지고 놀 수도 있다"랄까요. 같은 고통을 느끼는 사람들이 이 영화를 보고 한번 웃었으면 좋겠다는 생각을 했어요.

눈에 보이지 않지만 존재하는 것을 증명해 보려고 만든 〈덩어리〉라는 단편도 있어요.

사람이 공황 상태에 빠졌다고 하잖아요. 그 상태 자체는 비정상이 아니에요. 예를 들면, 길 가다 호랑이를 만나서 공황 상태에 빠진다고 하잖아요. 납득이 가는 자극이 있을 경우에 그 반응은 장애가 아니에요. 이를테면 커피를 마시다가 이유 없이 공황 상태가 오면 그건 건강한 상태를 벗어난 것이란 생각이 들어요. 즉 공연은 긴장하는 이유가 있는 상태니까 그 상황에서 공황에 빠

퍼포먼스를 하면 긴장 상태가 공황으로 이어질까 두렵지는 않으세요?

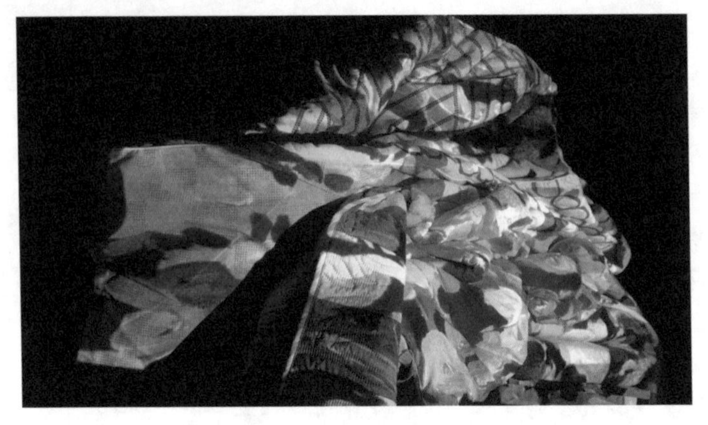

〈프로코피아〉
2014년 4월, 진도체육관에 도착해서 보았던 광경을 떠올려본다. 실내 바닥을 온통 뒤덮은 색색의 알록달록한 이불 이미지는 눈을 어지럽게 했다. 나쁜 아니었다. 그곳에 있던 모든 사람이 어딜 봐야 할지 몰랐고 초점을 맞추지 못했다. 말을 꺼낼 수 없었고 들어야 할 귀에는 침묵만 이어졌다. 햇살 좋은 날이었다. 팽목항에서 바다 쪽으로 의자를 놓고 앉아 있던 유가족의 뒷모습을 잊을 수 없다. 앞모습도 뒷모습과 다르지 않았다. 얼굴을 가질 수 있는 자 아무도 없었다. 그해 광화문 광장에서 세월호 진상규명을 위해 열흘 동안 단식하던 정치인은 2년 후 대통령이 되었다. 2019년 12월, 2020년 3월에 연이어 희생자 유가족이 자살했다. 죽어야 할 이유가 없는 사람들의 죽음이 계속되고 있다.

〈테클라〉
2015년 1월, 해군기지 공사로 앓던 제주 강정마을에 행정대집행이 예고되었다. 행정대집행이란 '무단점거'라고 국가가 판단한 사항에 용역을 불러 점거자들을 물리적으로 몰아낸다는 뜻이다. 예고된 집행 날의 전날 밤, 강정마을을 방문했다. 사람들은 현장에서 3층 높이의 철로 된 구조물을 다급하게 올리고 있었다. 내일 동이 트면 우리가 견고하게 쌓았던 것들이 저들에 의해 풍비박산 날 거라는 예상을 하지 못하는 사람은 없었다. 레미제라블의 바리게이트처럼, 5.18의 시민군처럼 그렇게 무너질 예정이었다. 그럼에도 우리는 손에서 손으로 자재들을 옮겼다. 허술하고 튼튼한 구조물이 쌓이는 사이 별안간 눈이 내렸다. 누군가는 모닥불을 피웠고 누군가는 어딘가를 향해 절을 했다. 그 밤을 기억한다.

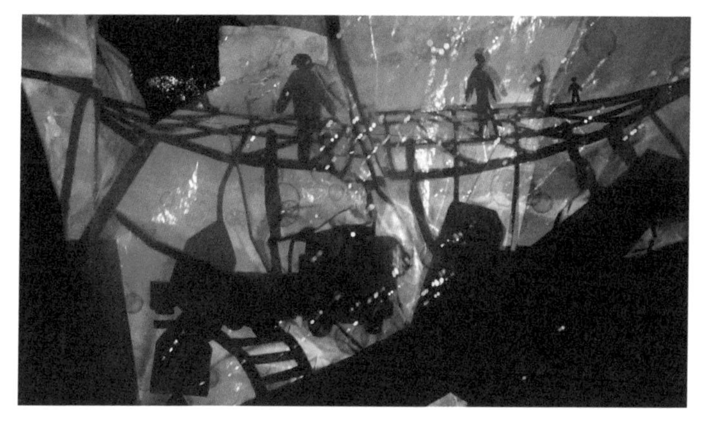

〈옥타비아〉
사람이 먼저다? 사람이 먼지다. 곡기를 끊고 억울함을 호소하는 사람들이 있다. 자신을 파괴함으로써 투쟁하는 방법은 최소한 인간 존엄성이라는 가치를 모두가 믿고 있을 거라는 세계를 가정해야만 유효하다. 그러나 노동자 김용균의 경우처럼 사람이 기계에 갈려도 태연하게 노동을 지시하는 시대가 아닌가. 인간 목숨은 최후의 보루조차 될 수 없다. 이 사실을 모르는 사람은 없다. 그럼에도 단식, 고공 투쟁을 강행하는 이유가 뭘까. "비존재보다는 차라리 재난이 낫다"는 바디우의 문장을 떠올려본다. 재난을 택함으로서만 투명한 존재에서 필사적으로 벗어날 수 있는 사람들, 몸을 파괴해야 몸을 얻는 사람들. 그들이 꿈꾸는 세상, 그렇게 어려울까.

〈페렌치아〉
어느 해 4월 20일(장애인의 날)에 엄마와 나는 세종대로에서 신호등을 기다리고 있었다. 휠체어 탄 장애인들은 일시에 거리를 점거했다. 그리고 스프레이로 바닥에 글씨를 남기고 사라졌다. "같이 삽시다." 이 도시는 장애인을 동등한 시민으로 대우하는 대신에 고립된 시설을 만들어 한꺼번에 가두기를 선택한다. 영화감독이자 정치인 장혜영은 말한다. "흔히 우리 사회를 기울어진 운동장이라고 하죠. 하지만 그곳에 입장조차 하지 못하는 운동장 밖의 존재들도 있습니다." 그 존재와 가까운 곳에 엄마와 내가 있다. 어느 날 엄마는 뇌졸중으로 쓰러져 신체장애를 갖게 되었고, 뒤이어 나는 공황장애를 겪었다. 그간 한 번도 생각해 보지 않았던 '장애의 세계'를 관심 있게 들여다보고 있다.

2020 미디어극장 아이공, 오재형 개인전 〈피아노 프리즘 : 보이지 않는 도시들〉
작가노트 발췌

진다면 큰 문제가 없죠. 오히려 자연스러운 현상이라고 봐요. 그리고 퍼포먼스는 제가 피아노 연주를 너무 좋아해서 하는 거예요. 피아노를 잘 못 치지만 연출작과 함께 공연을 하면 불러주니까. '나 같은 사람도 무대에 서서 내가 좋아하는 걸 할 수 있다'가 가장 큰 이유이기도 하고요.

나 같은 사람은 어떤 사람을 지칭하신 걸까요?

일반적으로 '피아니스트'라는 단어를 떠올릴 때 사람들이 생각하는 것들요, 피아노 굉장히 잘 치고, 어려서부터 교육을 받고, 관련 전공을 한, 쇼팽 에튀드 정도는 우습게 칠 수 있는, 뭐 그런 사람이 아니라는 거죠. 성인이 되어 '뒤늦게' 피아노를 배워서 악보 한 마디도 쩔쩔매며 겨우 읽는 사람이 무대에 서서 피아노를 통해 자기 생각을 표현한다는 의미로요.

그렇다면 누구나 예술가가 될 수 있을까요?

자기 생각을 감상 가능한 것으로 만들어내어, 타인에게 툭 던져놓고 반응을 살피는 일을 정기적으로 하는 사람이라면 다 예술가라고 생각해요. 실력이나 완성도는 나중의 문제라고 생각하고 있어요.

다른 작업들은 모두 현재의 문제를 다루고 있는데, 〈봄날〉은 과거의 역사를 주제로 하고 있어요. 어떻게

〈봄날〉은 5.18기념재단에서 영상 제작 제안을 받은 경우였는데 당시 제가 댄스필름에 관심 있어서 그 장르를 시도해 봤어요. 해마다 5.18기념재단에서 '오월음반'을 제작해요. 류형선 작곡가가 만든 『봄날』이라는 음반에 총 다섯 곡이 있었고 제가 그중 한 곡만 뮤직비디오 감독을 맡게 되었어요. 제가 광주 사람이기도 하고, 저희 부모님도 5.18 운동을 하셨고 어머님은 유공자이기도

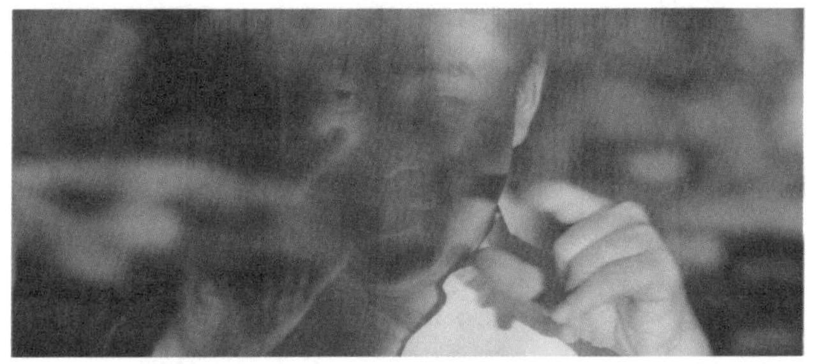
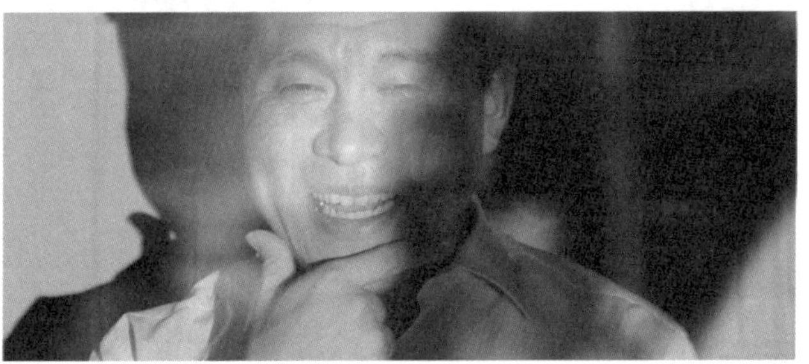

댄스필름 〈봄날〉(2018)

광주에 대한 작업을 하게 되셨어요?

하세요. 또 저희 아버지는 「님을 위한 행진곡」을 처음 불러 세상에 뿌리신 분이시고요. 테이프에 그 노래를 녹음했던 목소리의 주인공이 바로 저희 아버지이기도 해서 제게는 더욱 뜻깊은 작업이었어요.

광주의 역사와 기억을 작업으로 풀어내는 과정은 아무리 노련한 예술가라 해도 쉽지는 않을 것 같아요.

방대한 역사적 자료를 조사해야 하는 다큐멘터리적인 접근은 너무 부담스러워서 애초에 생각하지 않았어요. 대신 5.18을 겪은 사람들의 감정과 느낌, 트라우마를 중점적으로 표현해야겠다고 생각했어요. 또 댄스필름이라는 형식이 굉장히 멋있다고 생각해서 내용과는 관계없이 그냥 '계속 보게 되는' 그런 영화를 만들고 싶었어요. '알고 보니 5.18이네?'라는 생각이 들 수 있도록요.

댄스필름의 중심축은 안무와 영상의 결합일 텐데, 이 부분도 본인이 직접 구성하셨나요?

무용수는 그해에 우연히 만나거나, 혹은 소개를 통해 섭외를 했어요. 제가 춤에 대해서 잘 모르기도 하고 안무에 관한 연출은 무용수에게 전적으로 맡겼어요. 어떤 춤을 추든 상관이 없기도 했어요. '5.18을 겪었던 사람들의 각자의 몸짓'이 연출점이어서 무용수마다 다른 몸짓을 구현할 수 있을 것이란 생각이 있었어요. 영상은 뮤직비디오 형식을 취하고 있어서 무조건 제가 음악에 영상을 맞춰야 하는 방식이었어요. 들어보니까 음악이 크게 세 가지 구성으로 되어 있길래 영상도 거기에 맞춰 세 부분(무용수의 몸짓, 수어 통역사의 몸짓, 도시의 밤거리 씬)으로 나누었어요.

영화 속에 수화를 하시는 분이 활짝 웃으며 나와요. 어떻게 수화를 넣을 생각을 하셨어요?

수화를 하시는 분은 장진석 님이세요. 어느 영화제 폐막식에서 뵙게 되었는데 수화의 몸짓과 표정이 매우 흥미로웠어요. 공연 같다는 생각이 들어서 퍼포머로 섭외를 하게 되었어요. 〈봄날〉은 굳이 따지자면 한강 작가의 『소년이 온다』를 가상의 각본으로 삼았거든요. 그 책에 여러 군상이 나오는 걸 춤으로 또 수화로 표현하고 싶다는 생각이 들었어요. 수화에는 소설 마지막에 어머니가 동호를 생각하며 독백하는 장면이 포함되어 있어요. 장진석 님이 웃는 부분은 "네가 어렸을 때 수박을 좋아했지, 아장아장 걸었지…"라고 말을 하며 회상하는 장면이고요. 재단에서 수화니까 자막을 넣자고 했는데 제가 거절했어요. 대사 순서대로 장면 편집이 이루어지지 않는 기술적인 문제도 있겠지만 관객들도 이 사람이 어떤 말을 하고 있는지 다 알 수 있다고 생각했고, 무언가 인상만 주는 것이 더 적합하다는 생각이 들었어요. 그걸 광주에서 상영했는데 관객 한 분이 누굴 기리면서 만들었냐고 질문을 하시더라고요. 광주에서 처음으로 학살당한 분이 청각장애인이셨대요. 그 사실은 당시 저도 처음 알았는데, 의도한 건 아니었지만 그 우연이 주는 울림이 있었어요.

장편영화 〈피아노 프리즘〉은 배리어프리 버전으로 영화를 만들었습니다. 장애에 대한 관심은

장애 이슈는 늘 관심이 있었어요. 제가 공황장애에 걸린 것도 영향이 있고요. 어머니가 뇌졸중에 걸리면서 반신을 못 쓰게 되는 상황이 된 이후 사회가 장애를 어떻게 다루는지에 대해 말씀해 주기도 했고요. 이후 김원영 변호사가 쓴 『실격당한 자들을 위한 변론』이라는 책이 제게는 결정타가 돼서 생각이 많이 변했어요. 관련 주제에 대한 책도 더 찾아 읽고, 〈어른이 되면〉(장혜

언제부터 있었나요?

영), 〈반짝이는 박수소리〉(이길보라), 〈버스를 타자〉(박종필)와 같은 다큐멘터리를 접하고, 차별에 저항하는 장애인 언론 '비마이너' 뉴스도 보면서 배리어프리 영화라는 개념을 알게 됐어요. 제가 식당이나 가게의 문턱을 없앨 수는 없지만 내 영화에서는 시각의 문턱을 해결할 수 있잖아요. 내가 감독이니까, 내가 마음먹으면 되는 일이니까. 이런 생각이 들었던 차에 마침 준비 중이던 〈피아노 프리즘〉이 음악 다큐멘터리가 될 거고, 미술적 이미지가 난무할 것이니 시청각적으로 배리어프리 영화가 되기에 알맞겠다 생각이 들었어요. 그때부터 유튜브도 보고 자료를 찾으며 실현을 하게 된 거죠. 영화 작업뿐만 아니라, 작년에 서울과 울산에서 「보이지 않는 도시들」 공연을 했는데요. 갤러리라는 장소가 너무 시각적으로 편향되어 있다는 생각이 들어서 청각 중심의 공연을 만들고 싶었어요. 목소리와 피아노 사운드만으로 충분히 이미지를 환기시켜 보고 싶어서 울산에서는 사운드만으로 공연을 하기도 했고요.

배리어프리 작업을 하면서 부딪혔던 어려움은 없었나요?

배리어프리 작업 자체를 처음 시도하다 보니 여러 질문을 많이 들었어요. 예를 들면 '배리어프리 영화란 어떤 형식인가?' '화면 해설의 경우 이미지를 어디까지 설명하고 설명하지 말아야 할까?' '추상적인 이미지, 보이스오버 내레이션이 삽입된 영화, 실험영화에선 화면 해설을 어떻게 넣어야 할까?' 이런 형식에 대한 질문에서부터 '중립적이고 객관적인 화면 해설이 언제나 옳은 선택일까?' '그것이 영화의 작품 의도를 방해하진 않을까?'처럼 배리어프리와 영화의 의도가 충돌하는 지점에 대한 고민이 있었고, 그렇다면 역으로 '배리어프리 영화만이 지닐 수 있는 미학적 성취, 실험의 가능성은 어디까지 가능하다고 보아야 할까' 등등의 여러 질문들을 안고 가게 되었죠. 그 안에서 선택을 해야 했고요.

우리가 영화를 보기 위해 극장에 간다고 떠올려 보죠, 마블 영화를 선택했어요. 그런데 상영관이 종류별로 수십 개가 있는 거예요. 시각장애인관, 청각장애인관, 발달장애인관, 휠체어관, 영유아관, 비장애인관… 이렇게 각자의 컨디션에 맞게 영화를 선택할 수 있는 환경이 마련된다면 얼마나 좋을까요? 그런데 현실은 어떤가요. 특히 독립영화의 상영 기회는 많이 주어지지 않고 저는 다양한 관객을 원해요. 코딱지만 한 상영 기회를 또 나눠서 또 장애인/비장애인 버전을 분리할 여력이 없다는 거죠. 제가 오직 배리어프리 한 가지 버전만을 만든 '현실적인' 이유입니다. 현실이 이렇다면 다양한 신체가 모여 한 공간에서 영화를 봐야 한다고 봐요. 모두가 조금씩 양보하면서 보는 거죠. 배리어프리 영화에서 미학적 성취나 집중력 문제에 대한 비판도 수긍하는 부분이 당연히 있어요. 하지만 지금은 그걸 지적하는 비장애인에게 이렇게 말하고 싶어요. 그 불편을 조금 감수해 보시라고요. 물론 현실적인 이유만 있는 것은 아니에요. 저는 매 작품마다 개인적으로 안 해본 장르의 영화적 실험을 해왔어요. 〈피아노 프리즘〉의 가장 핵심적인 실험은 배리어프리입니다. 있으면 좋고, 없어도 되는, 그런 문제가 아니라는 거죠. 그래서 〈피아노 프리즘〉의 배리어프리가 오직 '장애인 배려'의 키워드로 해석되지 않았으면 하는 마음도 있어요. 이 영화에서 피아노를 뺄 수 없듯이 배리어프리를 빼서 따로 분리한다면, 그건 제 영화가 아니라고 생각해요.

사람들이 배리어프리 영화는 비장애인이 보기에 과도하게 청각적으로 개입해 영화의 미학적 성취나 집중력을 떨어뜨린다고 언급하기도 해요.

그 지점은 저도 고민이 되었어요. 화면 해설로 어디까지 작품에 개입할 것인가의 문제. 〈피아노 프리즘〉의 중반부까지는 (일반적인 배리어프리 영화처럼) 객관적이고 중립적인 해설을 합니다. 그런데 종반부에는 제가 갑자기 '과도하게' 나타나서 미술 전시장의 도슨트처럼 설명을 하기 시작해요. '관객의 다양한 해석 가능성을 해치지 않기 위해서 중립적이고 객관적인 화면 해설이 항상 옳은 것인가?'라는 고민 끝에 내린 결론은 '아니다'였어요. 그 이유는 객관적인 화면 해설이 결국 정보 전달에 있어서도 한계를 가질 수밖에 없고(이미지를 말로 번역하는 한계), 영화의 감각 자체를 총체적으로 번역해야 한다고 생각이 들었거든요. 특히 '실험영화'로 분류되는 제 작업처럼 추상적인 이미지가 빠르게 지나가는 영화 같은 경우에는 이미지 자체를 일일이 설명하는 것이 불가능하죠. 그럴 때에는 차라리 의도를 설명하는 게 낫다고 생각했어요. 이 아이디어는 작년에 이음센터에서 미술 접근성 워크숍을 들었는데, 영국 미술관에서 음성 해설사로 활동 중인 분과 대화(추상화는 어떻게 해설하죠?와 같은 질문들)를 나누며 얻었어요.

작가의 의도가 섞인 내레이션 해설은 나름의 서사와 감정을 만들어가는 관객의 몫을 방해하는 것은 아닐까요?

질문 주신 것처럼 '너무 설명을 해서' 집중이 잘 안 되었다는 의견도 당연히 있었어요. 하지만 (특히 영화 후반부의) 해설 때문에 훨씬 더 감정 이입을 할 수 있다는 의견도 굉장히 많았어요. 같은 영화를 보고 모두 다른 감상을 하듯이 배리어프리 영화도 마찬가지인 거 같아요. '비장애인의 감상에 방해가 되는가?'라는 질문 자체가 성립하기 어렵다고 봐요. 장애인도 마찬가지예요.

그렇다면 감독의 해설과 함께 본 영화가 비장애인들이 본 영화와 같은 인상을 줄 수 있다고

생각하나요?

시각/청각 장애인은 단일하지 않고, 잔존 청력, 잔존 시력에 따라 모두 달라요. 여기에 개인의 취향까지 더한다면 감상의 스펙트럼은 더 다양해지는 것이죠. 그래서 〈피아노 프리즘〉을 만들면서 배리어프리 영화는 불가능하다는 생각에 이르게 되었어요. 누군가에게 좋은 점들이 누군가에게는 장벽으로 작용할 수밖에 없으니까요. 한 명도 배제하지 않겠다는 생각보다는 한 명이라도 더 관객으로 품어보자는 마음으로 작업을 하게 되었습니다.

장애를 이해한다는 게 가능할까요? 그걸 영화 산업 내에서 시스템으로 만든다면 가장 먼저 필요한 게 뭘까요?

결국 상상력의 문제라고 봐요. 우리는 모두 각기 다른 몸을 가지고 있다는 전제가 필요해요. '다양한 관객'이라는 말의 진짜 의미를 생각해 보자면, 그 지점부터 장애를 이해하는 출발선이 될 수 있다고 생각합니다.

영화 산업과 배리어프리에 관한 저의 생각을 덧붙이자면, 저는 요즘 넷플릭스를 보며 놀라고 있어요. 요즘 신작들은 거의 화면 해설과 배리어프리 자막을 선택할 수 있도록 마련되어 있거든요. 반면 극장을 중심으로 형성된 관람 문화는 여전히 비장애인 중심이어서 변화가 거의 없잖아요. 저의 제안은 이렇습니다. 단계적으로 해보자는 거죠. 가령 자막 넣는 거 어렵지 않잖아요. 한국 영화에 한글 자막부터 넣어보면 어떨까요. 감독 개인의 선의에 기대는 것보다 영화제 출품 조건에 이 조항을 한 줄 넣어보면 어떨까요. 국제 영화제에 출품하려면 당연히 영어 자막을 넣어야 하는 것처럼요. 화면 해설까지는 먼 길이라고 생각하지만 자막은 영화제 출품 조항 하나를 추가하는 것만으로도 간단히 해결될 수 있다고 봐요. 그런 문화가 정착된다면 일반 자막에서 배리어프리 자막으로, 또 화면 해설로 넓혀질 수 있다고 생각합니다.

배리어프리 영화를 만들며 알게 된 영화적 상상력, 영화의 요소들에 대한 생각의 변화가 있었나요?

일단 너무 재밌었어요. 해보지 않은 방식으로 창작하는 것은 언제나 즐거움을 줘요. 배리어프리 작업도 마찬가지였죠. 이미지를 말로 번역하고, 소리를 자막으로 번역하는 과정은 한 번도 경험하지 못했으니까요. 영화를 최소한 세 가지 관점(비장애인, 청각장애, 시각장애)에서 바라보고, 또 가상의 관객을 떠올릴 때마다 신나고 설렜어요. 또 배리어프리 작업은 누가 이렇게 하면 안 된다고 정해놓은 규칙이 없거든요. 그래서 영화의 성격에 따라 다른 형식의 배리어프리 작업이 가능할 것이란 생각이 들어요. 그냥 보기에도 난해한 실험영화는 어떻게 배리어프리가 가능할까, 라는 질문을 떠올리면 저는 또 궁금해져요. 어떤 분이 제 영화를 보고 "배리어프리 영화는 영화의 최종적 형태"라고 말씀해 주셨는데 저도 그 의견에 동의합니다. 배리어프리 작업을 하는 과정에서 배리어프리 영화밖에 구현할 수 없는 새로운 창작의 지점이 있을 것이라고 믿고 있어요.

작품에서 이미지를 층으로 쌓아 올리는 방식이 흥미로웠어요.

미학적인 의미로 레이어가 쌓일 때 보이는 밀도와 같은 형식적 이유도 있지만 〈봄날〉은 명확한 의도가 있었어요. 도시를 영화의 주인공이라 생각해서 도시의 건물에 영상을 투사했어요. 길가의 가로수나 우체통도 5.18의 기억을 가지고 있을 것이다, 라는 주제로 아무도 걷지 않는 새벽 3시에 가서 도시와 건물을 찍기도 하고요.

"도시는 자신의 과거를 말하지 않습니다. 도시의 과거는 마치 손에 그어진 손금처럼 거리 모퉁이에, 창살에, 계단에, 안테나에, 깃대에 쓰여 있으며 그 자체로 긁히고 잘리고 조

댄스필름 〈봄날〉
광주 거리의 건물 위로 프로젝션되는 이미지들

각나고 소용돌이치는 모든 단편에 담겨 있습니다."

이탈로 칼비노의 『보이지 않는 도시들』에 나오는 한 구절이에요. 5.18은 생존자의 기억에만 존재하는 게 아니라 도시 자체도 그러한 기억과 이야기를 간직하고 있다고 생각했어요. 구 전남도청과 분수대, 전일빌딩이 기억하는 5.18은 어떤 모습일까요. 또 양림동의 리어카와 동명동의 벽돌이 기억하는 5.18은 어떤 모습이고요. 길가의 가로수, 천변에 흐르고 있는 물이 기억하는 5.18은 어떤 모습일지 이들은 말이 없죠. 5.18을 주제로 춤추는 무용수들의 모습을 도시의 사물들에게 투사하여 씻김굿을 열고 싶었어요. 그리고 영화로 구현할 때에는 『보이지 않는 도시들』처럼 상징적인 소설의 스타일을 반영해서 최대한 환상성을 구현해야 한다고 생각했어요. 스태프를 꾸리고 장치를 마련하는 것보다 그림을 그리던 방식처럼 혼자서 머릿속의 아이디어를 더 잘 구현할 수 있다고 생각해서 작업실에서 빔으로 이미지를 쏜 거죠.

이미지에 덧칠을 하는 방식이 그림을 오래 그려오면서 생겨난 유화적 특징일까요? 삶과 작업이 분리되어 있지 않고 겹쳐 있는 것과 연결되는 지점이 있을까요?

작업을 시작할 때 처음에는 평면적인 이미지에서 출발해요. 그런데 계속 생각에 생각을 거듭하다 보면 계획에 없었던 것들이 또 생각이 나요. 그럼 그 위에다가 그 아이디어와 이미지를 겹쳐봐요. 이질적인 것들이 한데 어우러지기도 하고, 비슷한 것들이 겹겹이 쌓이기도 하면 작업하는 것이 더 재밌어집니다. 일상에서 소재를 얻는 것에 있어서는 모든 작가들이 그런 과정을 거친다고 생각해요. 결국 모든 작가는 삶을 재료로 작품을 제작하는 것이 아닐까요. 저는 그 과정을 단지 담았을 뿐이라고 생각합니다. 그리고 완성된 작품을 마주하는 것보다 제작 과정의 에피소드들이 더 재밌는 경우가 많잖아요. 그것이 촬영한 이유이기도 하고, 또 한편으로는 사회적으로 드러나지 않은 예술가의 고된 노동을 생색내고 싶은 마음도 있었어요.

2015년부터 지금까지 끊임없이 영상 작업을 매년 한두 편 했어요. 어떤 매력이 지속적으로 영상 작업을 하게 만드나요?

제가 시력이 -8.5예요. 맨눈으로 자연을 보고 그린 적이 있는데요, 초점이 맞지 않아서 뿌옇고 조금은 흔들리는 방법론으로 그림을 그려왔어요. 저는 그림도 움직인다고 생각해 왔어요. 그렇지만 영상이 그림과 완전히 다른 점은 음악이 들어간다는 점이에요. 저는 저의 모든 작업이 뮤직비디오라고 생각하거든요. 학생 때 만들었던 〈쇼팽 이미지 에튀드〉(2008)나 〈봄날〉도 뮤비 형식을 띠고 있어요. 20대 때 영상 작업을 하지는 않았지만 주목했던 작가로 미셸 공드리(Michel Gondry)가 있어요. 공드리가 밴드에서 드럼도 치고 음악을 하고 뮤직비디오도 만들듯 일본 타카기 마사카츠(Takagi Masakatsu)라는 작가 역시 영화도 만들고 음악도 하는 복합 비주얼 아티스트예요. 이 두 작가는 단순히 뮤직비디오를 만드는 감독이라기보다 영상과 사운드를 같이 다룰 수 있는 사람만이 할 수 있는 '제 3의 감각'을 표현해 내는 사람들이라고 느꼈어요. 음악적 이미지, 이미지적인 음악을 구사한다고나 할까요. 저는 영화라는 매체만이 할 수 있는 것이 이미지와 음악이 만들어내는 조화와 부조화를 표현하는 것이라고 생각해요. 이 둘은 글 쓰는 것도, 그림을 그리는 것도, 영화를 촬영하는 것도 실수를 했을 때 그 실수가 어떤 역할을 하거나 다음 단계로 나아가는 좋은 효과를 낼 때가 있다는 점에서 공통적이고요.

이미지와 음악이 만들어내는 조화와 부조화는 예를 들면 어떤 걸까요?

조화라고 하면 크리스 커닝햄(Chris Cunningham)이 만든 에이펙스 트윈(Aphex Twin)의 〈돌연변이 조니 Rubber Johnny〉 뮤직비디오나, 미셸 공드리가 만든 케미컬 브라더스(The Chemical Brothers)의 〈스타 기타 Star Guitar〉 뮤직비디오를 예로 들 수 있겠네요. 이미지와 음악이 원래 한 몸인 것처럼 섞여서 움직여요. 쾌감이 느껴지죠. 부조화를 떠올려보면 슬픈 가사를 신나는 템포의 멜로디에 섞어 묘한 느낌을 전달하기도 하고요. 저의 작업 〈모스크바 닭도리탕〉(2019)을 보면 영화 전반에 깔린 내레이션이 꿈꾸고 난 다음에 주절거리는 아무말 대잔치, 헛소리거든요. 그렇지만 배경 음악은 말도 안 되게 초월적이고 신성한 분위기의 모차르트의 교향곡을 넣어보았어요. 이렇게 충돌하는 지점에서 발생하는 효과가 재밌다고 느껴요.

내용이나 형식 중에 작업에 더 큰 원동력이 되는 건 무엇인가요?

내용과 형식 중에서 양자택일을 하자면 형식에 더 많은 관심을 쏟는 거 같아요. 이야기를 압도적으로 중요시했다면 굳이 발표하는 작품마다 새로운 장르적 실험을 하지 않았을 거 같아요. 제가 다른 작품을 볼 때에도 마찬가지거든요. 얼마나 가치 있는 이야기인가보다는 얼마나 외적으로 멋있고 아름답고 멋진가에 우선 끌려요. 그러니까 외모에 먼저 끌리는 것이죠. 강정마을도 그렇고 장애에 관한 경우도 그렇고 저는 하고 싶은 주제가 생기면 묵혀두는 시간이 필요해요. 욕심이 나서 잘 만들고 싶은 경우는 더더욱 그 주제를 성숙시키는 시간이 걸리고요. 강정도 한 3-4년 고민했고 배리어프리 영화도 장애에 대한 고민을 3-4년 숙고한 뒤에 결과물이 나왔어요. 그래서 어떤 이야기가 있으면 알맞은 옷을 찾을 때까지 오랫동안 담아두고 있어요. 무엇인가 해야겠다는 결심이 들면 알맞은 매체와 형식이 찾아오는 거 같아요. 이야기가 먼저 들어오고 제 안에서 맴돌고 있다가 형식이 결정되죠. 아! 이건 책으로 내야겠다 싶으면 글을 쓰는 거고요. 〈봄날〉의 경우는 아는 동료의 작품을 보고, 피나 바우쉬 작품을 본 후 영감을 받아서 댄스필름을 해보고 싶었어요. 현대무용이라는 장르를 처음으로 진지하게 감상한 작품이기도 해서 모든 부분에서 새로움을 느꼈어요. '춤은 아닌데 춤이네?'라는 지점들, 경계가 모호한 몸짓으로 리듬을 만들어내는 지점이 흥미로웠어요. 그래서 5.18기념재단 제안이 들어왔을 때 무조건 댄스필름으로 해야겠다는 생각이 들었죠. 이 경우는 제안 자체를 뮤직비디오로 주셨던 것이라 매체가 먼저였던 경우네요.

작품 속에 사회 문제에 대한 확고한 문제 인식이 있는데 이를 미학적으로 풀어낼 때 갈등을 느끼지는 않으세요?

어떤 분이 〈블라인드 필름〉을 보고 투쟁 현장이 이렇게 아름다워도 되냐고 그러시더라고요. 그래서 제가 "네, 아름다워도 됩니다"라고 답했어요. 아는 작가가 아름다움 속에 슬픔도 포함되어 있고 그 슬픔을 통해 아름다움을 절실히 느꼈다는 소감을 전해주셨는데 제가 생각했던 지점도 이런 부분이라는 걸 그때 알게 되었어요. 아름다움은 예쁘다는 느낌만 담고 있지는 않다고 생각합니다. 아름다움에는 복합적인 층위가 있고 그 중에서도 저는 슬픔을 내포한 아름다움에 주목하고 있어요. 사람들이 보통 사회적 비극 예를 들면 5.18 광주, 강정마을, 세월호를 떠올릴 때 그 현장에는 슬픔과 분노와 체념이 팽배할 것이라고 생각하잖아요. 하지만 실제로는 그렇지 않아요. 그 속에도 굉장히 아름다운 순간들이 있거든요. 축제와 같은 순간도 존재하고요. 그런데 우리가 재난 현장을 사회적으로

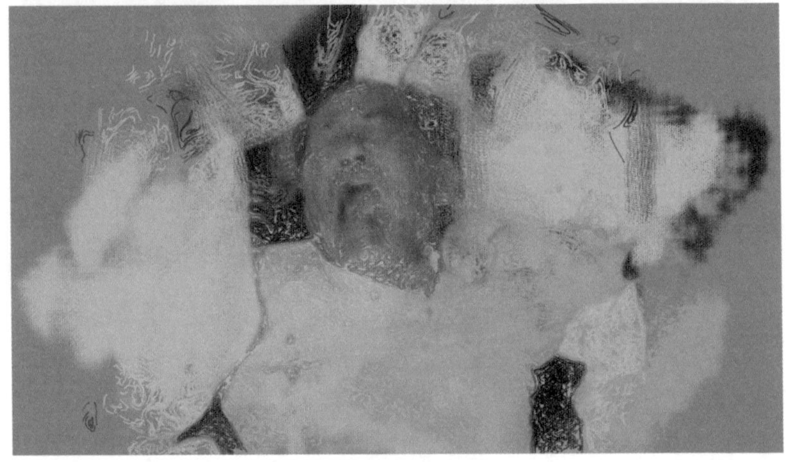

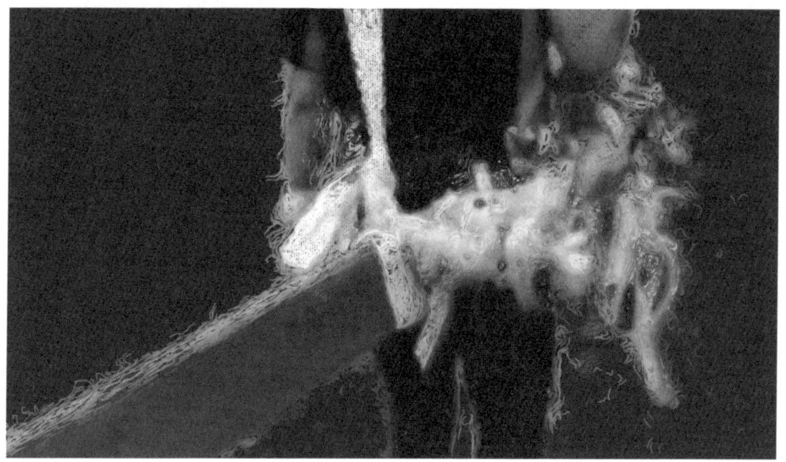

공인된 폭력 앞에 쫓겨나는 사람들을 그린 영화 〈블라인드 필름〉

묘사할 때는 그런 다양한 순간들이 잘 재현되지 않아요. 그래서 저는 그 공간 속에 희망, 신남, 아름다움이 존재한다는 걸 보여주고 싶어요. 투쟁 현장의 어떤 순간들, 소설의 한 구절에서 떠올린 도심의 파편, 혹은 아무도 알아주지 않는 뒷산의 숲에서 포착되는 아름다움이 있어요. 결론이 패배로 끝날지언정 손 맞잡고 춤을 추는 순간들이 분명 존재하니까요.

투쟁의 현장에도 삶의 아름다움이 스며들어 있다는 건데요. 예술과 삶은 같이 가는 걸까요?

예술과 삶은 당연히 같이 간다고 생각해요. 서태지가 「교실 이데아」, 「발해를 꿈꾸며」 같은 노래로 사회적 이슈를 논의했는데 왜 지금은 그러한 메시지를 노래에 담지 않느냐는 질문에 "그때는 그것이 너무 절실했다"라고 답하더라고요. 전 그 부분에 너무 공감해요. 앞으로는 저도 사회적 이슈에 반응하는 작업을 아예 안 할 수도 있어요. 적어도 이십 대 후반에서 삼십 대 중반까지의 오재형은 예술로 사회를 바꿔보려는 말도 안 되는 마음을 가진 시기가 있었다는 것. 너무 절실했다는 것.

예술이 사회를 바꿀 수 있다고 믿으시나요?

사회를 바꿀 순 없겠지만 조금씩 균열을 낼 수 있다고는 생각해요. 제가 만나는 관객들 반응에서 그 균열이 느껴지기도 하고요. 작품을 보고 오랜만에 그 주제를 떠올렸다고 하시거나, 눈물을 흘릴 정도로 공감을 해주시니까요. 잊고 있던 세월호가 다시 떠올랐다는 소감도 주시고요.

작가의 작업이 점점 자신으로부터

제 이야기를 할 때는 저만의 유머 코드를 넣거든요. 그런데 타인에 대한 이야기를 할 때는 진지해집니다. 자세 고쳐 앉고 진지하게 접근하지 않으면 안 될 것 같다는 생각이 들었거든요. 예의를 갖춰서, 혹은 애도의 느낌을 계속 깔고 가는 작업이라 그런 듯도 해요. 최근에는 '내 얘기를 너무 많이 했다. 내가 나를 너무 많이 먹어서 체할 것 같다. 내 이야기 이제 그만' 이런 생각이 자주 들어요. 작년에 수필집도 냈는데 이제 스스로에 대해서 글을 쓴다거나 표현하는 것은 그만하고 싶어요. 술 먹고 말 많이 한 다음에 후회하잖아요. 그런 느낌이에요. 너무 많은 이야기를 해서 이야기가 빈 것 같아요. 2015년부터 일 년에 한두 편씩 계속 영상 작업을 해왔고 이제는 이야기를 쌓아야 하는 시기가 아닐까 그런 생각을 하고 있어요.

출발해서 타인에 대한 관심으로 나아가는 변화를 발견할 수 있어요. 그 사이에 어떤 계기가 있었나요?

어떤 면에서는 뒷산의 숲만 그릴 때 인생이 편하지 않았나요? 수도자도 아닌데 왜 고행을 자처하는지요.

이유는 간단합니다. 제가 즐겁기 때문이에요. 윤리적 의무감으로 작업했던 경우는 거의 없어요. 하고 싶어서, 재미있을 것 같아서 작업했고 그 결과물들에 보람을 느껴요. 상상했던 것이 물질로 구현되는 과정이 너무 재미있어요. 그리고 모든 창작자가 그렇겠지만 저도 제가 만든 작업을 빌미로 이야기 나누는 것을 좋아해요. 그 이야기가 사회적 비극이나 슬픔이라면 정말 더 소중한 시간이 될 수 있죠.

오재형 감독도 두려운 게 있나요? 인생의 모든 순간이 재미있어

아마 다음 생의 행운까지 모두 끌어다 쓴 거 같아요. 매일 웃으며 신나는 것은 아니지만 대체로 하고 싶은 일을 재미있게 하며 사는 편이에요. 두려움은 이런 행운의 순간들이 언젠가 어떤 식으로든 막이 내릴 거라는 거죠. 온실 속의 화

보이는데요?

초처럼 큰 고생 없이 자랐는데, 인생에서 감당할 수 없는 순간들이 찾아올 때 얼마나 대처할 수 있을지 막연한 두려움은 갖고 있습니다.

최근 어머니 임영희 여사의 구술사를 애니메이션으로 만들어 공개했어요.

〈양림동 소녀〉(2022)는 어머니가 자신의 유년기-청소년기 시절을 회상하며 만드신 동화책의 그림들을 가지고 만들어본 작품이에요. 여기까지가 우리가 기획한 1부이고, 2부는 어머니가 겪은 5.18 이야기, 3부는 뇌졸중 이후의 삶을 작업해 보자고 이야기한 상태예요. 어느 날 갑자기, 뜬금없이 동화책을 만드는 시도처럼 새로운 경험에 호기심을 갖고 시도해 보는 성격을 어머니로부터 물려받은 것 같아요.

장편 〈피아노 프리즘〉을 제외한 모든 작품을 홈페이지에 공개하고 있어요. 이렇게 공개하시는 이유가 있나요?

저는 원래 그림을 그리면 SNS에 올리곤 했었는데, 영화도 큰 생각 없이 그렇게 올렸어요. 아무도 안 보는 것보다는 1명이라도 더 보면 좋지 않겠나 하는 마음이죠. 요즘에는 이게 맞는지 잘 모르겠어요. 온라인에 올린다고 해도 사람들이 잘 보는 것 같지 않고요. 끝까지 보는 것 같지도 않고요. 모두 비공개로 돌린 다음에, 1년에 1번을 상영하더라도 오프라인 장소로 사람들을 초대하는 방식이 더 작품을 존중하는 방식일까요? 잘 모르겠습니다. 지금은 그냥 누군가 와서 보겠지, 라는 마음으로 공개해 놓은 상태입니다.

앞으로의 행보가

어머니의 역사를 다룬 〈양림동 소녀〉를 계속 제작하고 싶은 생각이 있고요. 좋은 기회가 오는 대로 당분간 공연 위주로 활동하고 싶어요. 실은 **궁금합니다.**
그냥 놀고 싶습니다. 책이나 읽고 좋아하는 곡
연습하면서요.

〈피아노 프리즘〉(2021)

황수현

황수현은 감각과 감정에 대한 탐구를 기반으로 창작하는 안무가다. 그는 작품을 통해 극장과 움직임에 관해 근본적인 질문을 던지며 예술의 경계를 확장시켜 왔다. 그중 「저장된 실제」는 관객의 관람에 있어서 경험의 실제성이 어떻게 실현되는지 영화적 기법으로 다루고 있는 작품으로, 작가가 무용수로 활동하던 시기를 지나 본격적인 창작자로서 이름을 알린 작업이기도 하다. 「저장된 실제」를 기점으로 작가는 극장을 벗어난 미술관, 연습실, 야외 공간 등 다양한 장소에서 작품을 선보이며 춤의 잠재성을 확장시켜 왔다. 그의 작품은 기존의 무대 중심의 관람 방식을 체험 중심의 경험으로 전환하며 춤을 바라보는 새로운 지평을 열었다는 평을 받으며 페스티벌 봄(2015), 옵/신 페스티벌(2020), 국립현대무용단 스텝업(2021)을 비롯한 다수의 프로그램을 통해 소개되어 왔다.

특히 소리의 공명을 통해 감흥을 불러일으키는 「검정감각」(2019)은 그의 대표작으로 손꼽힌다. 「저장된 실제」(2014)를 통해 암전 속에서 보는 경험이 몸을 통한 감지로 전환됨을 경험한 작가는 공감각적 소통에 관한 질문을 「검정감각」으로 발전시켰다. 「검정감각」은 공연 내내 무용수들이 눈을 감고 이루어지는 작품으로 청각과 촉각으로 확장된 새로운 보기의 경험을 펼쳐 보인다. 안무 언어를 확장시킨 이 작품으로 그는 한국춤비평가협회 베스트 작품상을 수상했다. 특히 소리와 진동과 감각의 전이에 대한 탐구는 덕수궁 정관헌에서 선보인 「음———」(2020)에서도 이어진다. 열린 야외 공간에서 느린 시간성을 경유하며 이루어지는 이 작품은 공연을 영화적 시점으로 확장시켜 바라볼 수 있는 또 다른 길을 제공해 준다.

개인의 감각과 공동의 연대에 관한 고민은 작가의 작품을 관통하는 키워드다. 눈물이 흐르는 행위를 '수행'으로 접근하는 「I want to cry, but I am not sad」(2016)나 몸짓을 통한 소통 가능성을 실험하는 「나는 그 사람이 느끼는 것을 생각한다」(2019)는 감각과 감정이 어떻게 발생하고 공명하는지 천착해 온 작가의 작품 세계를 한층 더 도약시켰다.

황수현의 작품을 관람하며 누군가는 울고 누군가는 웃었다는 일화가 있듯이 그는 작품을 통해 현재의 관습을 되묻고 인간의 본질적인 감정과 감각을 환기한다. 그 공로를 인정받아 2020년에는 문화체육관광부장관 표창장을 수여받았다. 미래의 낯선 감각을 오래전 잊힌 과거에서 찾는 그의 작업은 지금 이곳 동시대를 향해 묵직한 질문을 던지고 있다.

황수현 홈페이지

〈저장된 실제〉(2014) 트레일러

「저장된 실제」는 본다는 것에 관한 질문을 본격적으로 던진 작업이라는 생각이 드는데요, 제목부터 궁금증을 불러일으킵니다.

「저장된 실제」는 현실적인 질문에서 출발했어요. 2014년 초연했던 그 당시 극장을 벗어난 작품들이 꽤 있었는데요. 그런 작품들을 보면서 왜 극장을 벗어났는데 춤은 안 바뀌지? 공간이 달라졌는데 왜 춤이 동일하지? 그렇다면 왜 극장을 벗어나야 하지?라는 질문이 들었어요. 이 질문들은 극장 공간에서 '실제'라는 것이 무엇일까, '리얼하다'고 말하는 지점이 뭘까?라는 생각으로 이어졌고요. 그것이 '라이브'일 수도 있고 관객이 공연 혹은 영화를 본 이후의 기억이나 감상일 수도 있을 텐데 작품이 어떻게 관객들에게 실제의 경험을 불러일으키는지를 다뤄보고 싶었어요. 지금 이곳에서 극장을 경험한다는 것이 어떻게 관객 각자에게 다르게 나타나는지, 관객의 몸에 저장된 실제적 감각이 무엇인지를 주목하고자 이렇게 제목을 짓게 되었어요.

관객들의 경험에 주목한 특별한 이유가 있나요?

저는 무용수로 10년 동안 활동하다가 2011년에 안무가로 본격적인 작업을 시작했어요. 무용수로 활동할 때에는 그 상황과 몸에 집중했기 때문에 내가 어떻게 보이는지 몰랐고 실제로도 그것이 크게 중요하지는 않았어요. 그런데 막상 관객의 입장에 서니 내가 느끼는 것과 실제 나를 보게 되는 장면의 차이가 크더라고요. 무용수로 활동할 때 춤을 추면서 일어나는 현상들을 관객의 입장에서 다시 보다 보니 그러한 살아 있는 감각들이 많이 공유되지 않는다는 것을 느끼게 되었어요. 춤을 출

때에는 실제적인 것들이 일어나는데 왜 관객 입장에서는 죽은 것을 보는 느낌이 들까. 그 당시 공연을 보는 것이 재미없었어요. 그래서 춤을 출 때의 즐거움과 볼 때의 차이점에 대해 관심을 갖게 되었고 공연을 만드는 창작 과정을 관객의 입장에서 다시 설정해 봐야겠다는 생각을 갖게 되었어요.

그래서인지 「저장된 실제」는 관객들이 스튜디오를 이동하면서 관람하는 독특한 형식을 취하고 있어요. 작가가 생각하는 실제적 감각은 무엇이었나요?

그 '실제'라는 것은 지금 여기에서 발생하고 있는 '라이브'를 언급하는 것일 수도 있고 또 다른 층위에서 실제로 느껴지는 감각이라고 생각해요. 그렇다면 즉흥은 실제일까, 질문을 던졌을 때 즉흥 또한 사실상 자유로운 상태 혹은 자유로워 보이기 위해 만들어야 하는 구조와 통제가 있다는 생각이 들었어요. 무대 위에 등장하는 순간 이미 그것 자체가 허구적인 몸이니까요. 결국 실제는 그것을 경험하는 개인에게 각자 다르구나라는 생각을 갖게 되었어요. 상상, 기억, 경험 그런 요소는 개인의 성향에 따라 다를 것이고 작가가 말하는 주제와 내용 이전에 먼저 감각적으로 받아들이는 요소를 떠올리게 되는데 그 관객의 감각이 더 실제가 아닐까?라는 생각을 하게 되었죠. 그리고 감각을 통해 다시 상기되는 그 무엇이 더 중요하게 다가왔어요.

이 작업을 시작하기 전 작품에 출연했던 남자 무용수가 본인의 공연 영상을 보내주면서 피드백을 부탁했었어요. 침대에 누워서 핸드폰으로 영상을 보고 있는데 아무것도 느껴지지 않고 뭘 봐야 할지 모르겠는 거예요. 문득, 누워서 공연을 본다는 것이 굉장히 이상하게 느껴졌어요. 공연을 본다는 것은 무엇일까? 좀 더 깊게는 춤을 본다는 것이 뭘까. 이렇게 누워서 내가 바

「저장된 실제」(2014) © 서울무용센터
관객들은 3개의 스튜디오를 이동하면서 공연을 관람한 뒤에
극장을 나올 때 핸드폰으로 영상 링크를 전송받는다.

라보는 것이 진짜인가. 이 작품이 진짜인가. 난 무엇을 놓치고 있지? 무엇을 보고 있지? 대사도 아니고 형태도 아니고 이미지만의 문제도 아니고 어떤 감각적인 영역의 문제인데 그런 것들이 전달되지 않은 채로 영상만 보고서 피드백을 준다는 것이 맞을까? 이런 생각이 들면서 구체적인 질문을 갖게 되었어요. 그러면서 본격적으로 본다는 것은 무엇일까?에 대한 질문을 갖게 되었고요. 그것이 시각만의 문제는 아니거든요. 어떤 현장감, 현장성을 만들어주는 것이 중요할 텐데 그렇다면 무엇인가를 볼 때 그 시간성은 어디서부터 어디까지를 지칭하는 것일까? 이런 생각을 하게 되었어요. 시간이라는 건 작품이 이루어지는 딱 그 범위만을 보는 것이 아니라 작품을 보러 가기 위한 어떤 준비 상태, 그리고 극장을 나와서 기억을 끌고 가는 어떤 감각적 경험들, 그런 것들이 몸에 어떤 식으로든 붙어 있을 테니까요. 그래서 「저장된 실제」에서는 작품을 하게 될 연습실이라는 공간이 어떻게 쓰이고 있는지를 들여다보았고 이 파편적인 3개의 스튜디오에서 관객이 보는 것이 무엇인지 그 자체를 강조하고 싶었어요. 보는 행위 자체를 인지하는 상황 자체에 중점을 두었고요. 극장에서는 사실 내가 보고 있다 자체를 인지하지는 않잖아요. 보여지고 있는 것을 보게 되는 구조인데 그것과 다른 방식으로 볼 수 있는 방법, 거울을 통해 볼 수 있는 것, 그리고 관객이 선택적으로 보려고 하거나 보지 않으려고 할 때 발견할 수 있는 것이 무엇일지를 찾게 되었어요. 사실 「저장된 실제」는 극장이 가진 의미를 더 알고 싶어서 출발한 작업이라고 볼 수 있어요.

극장이 가진 의미를 알고 싶다고 하셨는데 그 의미가

2012년, 2013년에 일본 안무가와 협업으로 공연을 했는데요, 이 작품에서 주목했던 부분이 '실제적인 감각'에 관한 것이었어요. 제목이 「Face to Face」(2012)인데요, 이 작품은 서로 한

「저장된 실제」
서로 다른 배치로 이루어진 객석

실제적 경험과는 어떤 관계를 맺고 있나요?

국말과 일본말을 순서대로 읽으면서 의미는 사라지고 발현되는 음성과 몸짓을 가지고 움직임으로 발전시키는 과정을 다루고 있어요. 과정은 흥미로웠고 연습할 때에도 재미있는 지점들이 많이 발생했는데 이상하게 무대 위에서는 그 재미가 사라지더라고요. 재공연을 하다 보니 연습실에서 이미 끝난 것을 무대 위로 가져간 순간 죽은 상태가 되어 버렸죠. 감각들이 사라지고 재현만 남게 되는 경험을 하면서 결국 무대로 들어오는 순간 모든 것은 공연이지 일상을 아무리 무대 위에서 보여주려고 해도 일상이 될 수 없다는 것을 느끼게 되었어요. 그렇다면 극장이라는 곳의 실제성이라는 건 오히려 허구적인 것 아닐까?라는 생각을 갖게 되었죠. 그전에는 리얼한 순간을 가져오거나 즉흥적인 어떤 상황을 통해 발생하는 '실제성' 자체에 관심을 두고 있었거든요. 어쩌면 실제라고 느끼는 순간은 정작 일상적인 움직임 아닐까?라는 생각도 들었고요. 하지만 그런 일상적인 동작조차도 무대 위에서는 인위적인 형태로 만들어지더라고요. 무대에 몸이 등장하는 순간 이미 허구적인 몸이 되어버리는 거죠. 다큐멘터리 작업도 무대 위에서는 연극이 되는 것처럼요. 극장에서 꾸며진 것들에 대해 거부하고 싶었는데 오히려 이 극장이라는 것은 원래 허구를 가지고 있는 성질의 공간이구나라는 것을 그때 수용하게 되었어요. 그렇다면 극장 안에서 작동하는 허구성이라는 것이 뭘까?라는 질문들로 이어지게 되었고요. 「저장된 실제」는 그 허구적인 것들을 안 하려고 하지 말자. 오히려 더 수용하자라는 생각에서 출발했어요.

극장의 허구성을 드러내는 방식은

몸이 메시지를 직접적으로 전달하는 도구가 될 때 놓치는 지점이 많다는 생각이 들었어요. 그래서 몸을 통해 어떤 의미를 전달하기보다는 시각에 치우쳐진 감각의 불균형을 분산시키고 싶었던 의도가 컸어요. 그래서 관객이 최대한 다각도로 경험할 수 있는 방식에 주목을 했고요. 관객이 앉는 위치를 각 방마다 다르게 배치하고 무용수들의 움직임에 몰입했다가도 다시 빠져나올 수 있는 요소들을 만들었어요. 특히 첫 번째 스튜디오에서는 조명을 켰다가 끄면서 보이고 보이지 않는 상황에서 무용수가 옷을 벗는 과정을 관객들이 바라보도록 연출했어요. 그러면 다른 감각으로 몰입을 환기시킬 수 있겠다는 생각이 들었거든요. 실제로 블랙아웃이 된 상태에서 무용수가 옷을 입는 소리가 들리고 나서 불이 다시 켜졌을 때, 숨이 안 쉬어질 정도로 내 몸에 집중하게 되더라고요. 두 번째 스튜디오는 무용수를 크로마키(chroma-key) 하겠다는 아이디어로 블루 스크린을 제작하면서 움직임을 카메라를 통해 다양한 각도에서 볼 수 있는 시점이 생겼어요. 어떤 움직임은 위에 설치된 카메라의 각도에서 바라본다고 생각하고서 만든다든지 추락하는 장면 역시 더 높은 곳에서 떨어질 수 있다는 상황을 염두에 두고 연출한다든지 이런 시점을 관객들이 상상할 수 있도록 구상했어요.

다양한 경로가 있을 것 같은데요, 연출에 있어서는 어떤 부분에 중점을 두었나요?

무용수들과 연습할 때에도 움직임, 사건, 형식이 명사로 끝나버리지 않아야 한다고 말해요. 춤이 하나의 명사로 고정되지 않고 동사적인 현상으로 일어날 때 관객과 소통하고 호흡할 수 있는 경로가 많아지거든요. 그래서 「저장된 실제」에서도 객석의 배치, 관람하는 동선, 안무의 구성에 있어서 다각도로 관객이 입체적인 경험을 할 수 있도록 구성했습니다.

그 지점을 많이 연습했어요. 무대 안에서의 역할과 무대 밖에서의 상태가 달라진다는 것을 명확

두 번째

스튜디오에서 무용수의 움직임이 블루 스크린 밖에서는 일상적으로 변하는 것이 흥미로웠어요.

한 차이를 통해 보여주고 싶었거든요. 이 공간 안에서 일어나는 일들이 영화로 변환될 것이라는 아이디어를 가지고 있었기 때문에 무대를 벗어났을 때에는 일상적인 몸으로 넘어가자, 이 약속을 하게 되었어요. 카메라가 여기 있어, 그 위치를 무용수에게 인지시키고 카메라가 촬영하는 범위 밖에서는 일상적인 몸으로 돌아갔을 때 무대의 허구성이 더 선명하게 드러날 것이라고 생각했어요.

「저장된 실제」는 영화를 만들기 위한 연습과정처럼 느껴집니다. 의도된 연출인가요?

네, 실제로 영화를 위한 리허설 과정을 염두에 두고 작품을 만들었어요. 서울무용센터 연습실에서 공연이 이루어지기도 했고요. 경험의 연상선상에서 작품이 공존하길 바랐거든요. 그 결과물은 영상을 통해 관객들에게 제공되고요. 또 한편으로는 공연의 힘을 동시에 드러내고자 안무를 구성할 때에는 일상적인 동작과 강한 움직임이 동시에 드러나도록 만들었어요.

안무를 만들 때에도 그러한 상반된 특성들을 고려하셨나요?

네, 움직임과 동작들 역시 익숙한 무용의 안무법이 아닌 관객들도 늘 하고 있는 일상적인 동작에서 찾고 그것을 낯설게 바라볼 수 있는 접점에서 장면을 구상했어요. 운동성이 시각적인 조형성보다는 실제적인 감각들로 작동하길 바랐거든요. 운동 감각 중에서도 안전한 지점이 있는데 의도적으로 그런 안정성을 피하고 약간 위태로운 지점들을 더 많이 찾았어요. 예를 들면 몸을 굉장히 기울여서 간다든지, 몸의 허리를 많이 꺾는다든지, 스핀을 돌 때 자연스러운 회전이

「저장된 실제」 두 번째 스튜디오 © 서울무용센터
설정한 카메라의 각도에 따라 무용수의 동일한 움직임이 다른 방식으로 보인다.

아니라 정말로 확 힘을 줘서 돌게 한다든지. 이런 방식들로 움직임을 구성했어요. 턴을 돌 때 스핀의 시작과 끝이라는 게 있어요. 그런데 그 원리를 사용하지 않고 오히려 돌다가 탁 멈춰 버리는 요소를 더 강조했어요. 그러면 운동성이 더 강력하게 드러날 수 있다고 생각했거든요. 첫 번째 스튜디오에서도 육체라는 것이 좀 드러났으면 좋겠다, 고깃덩어리로서 나체의 몸이 더 드러나면 좋겠다는 생각을 했어요. 옷을 벗는 일은 일상에서 많이 볼 수 있는 장면이잖아요. 그래서 그 벗는 과정을 일상과는 다른 시간성으로 바라볼 수 있으면 좋겠다는 생각이 있었고 그렇다면 어디까지 벗지? 언제 벗지? 이런 질문들을 파생시켰어요. 두 번째 블루 스크린의 방은 크로마키를 통해 신체를 영상에서 재편집할 것을 염두에 두고 무용수의 움직임을 카메라의 시점과 연관해서 구성했고요. 무용수가 기어 다닐 때에는 카메라가 천장에 달려 있다고 생각하고 움직이거나 다양한 카메라 시점을 안무에 적용시켜 추락하거나 갑자기 뻗어나가는 동작들로 이어지도록 연출했어요. 세 번째 방 역시 그러한 감각의 연장선상에서 만들었어요. 몸에서 이물질이 나오거나 벌레가 움직인다거나 그런 감각들이 관객들에게 복합적인 이미지로 연상되길 바랐어요.

세 개의 스튜디오에서 이루어지는 공연은 각각 다르지만 공통된 정서를

죽음에 대한 이미지에서 출발했어요. 몸이 썩고 난 다음에 벌레들이 몸에서 기어 나오는 그런 장면들이요. 그러나 무용수가 죽음을 재현하게 만들고 싶지 않아서 운동성의 위태로운 지점들을 많이 찾았어요. 죽음이라는 것은 사실 일상과 함께 공존하고 언젠가 우리 모두 맞이하게 되지만 사실 굉장히 낯설고 또 다른 세계의 것이라는 생각이 들어요. 죽음은 여전히 모르는 미지의 영역이기에 낯설고 공포스러우며 때로는 불편한 감각을 전달해 주기도 하니까요. 그래서 벽을 기어간다거나 아래로 추락하는 것처럼 죽음이 갖는 감각에 초점을 두었어요. 이 작업에서 다루었던 죽음과 관련한 이미지는 실제적인 경험에 기인한다기보다는 영화나 글을 읽고 상상한 죽음의 이미지에 가깝습니다. 오히려 실제적인 죽음은 공포스럽지는 않았어요. 죽는다는 건 어떻게 보면 자연스러운 순환이니까요. 당연히 죽는다는 것은 슬픔의 감정을 유발하기도 하지만 그것이 공포나 트라우마 같은 사건으로 저장되지는 않았어요. 오히려 미디어나 텍스트에서 표현된 죽음이 저에게 두렵고 공포스러운 이미지로 남아 있었고 그러한 이미지로부터 영감을 찾았어요. 머리를 당기거나, 물을 뱉거나, 위태롭게 서 있거나 혀를 내미는 기이한 행동들을 통해 죽음이 가지고 있는 신체적 징후들을 몸으로 발현하고 싶었어요.

느낄 수 있는데요, 무용수들의 움직임을 구상할 때 떠올린 이미지가 있었는지 궁금합니다.

관객들의 소감은 어떠했나요?

관객 중 한 분이 이런 얘기를 해주셨어요. 첫 번째 방에서 무용수가 옷을 벗는 것이 사실 처음 보는 것도 아니고 나체의 몸을 보는 것에 대해서도 큰 동요가 없었는데 주위가 너무 조용해서 침을 못 삼키겠다는 거예요. 침을 삼키면 다른 사람들이 본인을 이상하게 생각할 것 같고, 실내가 더워서 옷을 벗으려고 하면 시끄러운 소리가 날 것 같아서 이런 나의 상태를 의식하게 되는 것이 굉장히 낯설고 힘든 경험이었다는 얘기를 해주셨어요. 사실 첫 번째 스튜디오는 사이드 거울이 있는 공간이어서 관객이 의도적으로 고개를 돌리면 무용수의 은밀한 부위를 볼 수 있는 상황이었거든요. 어떤 관객은 몸을 훔쳐보는 것이 의식이 되어서 결국 거울을 보지 못했는데 옆에 있던 다른 분은 몸을 기울여서 거울을 보았다는 얘기를 해주셨어요. 저는 사실 그런 상황도 염두에 두고 있었어요. 관객이 이 장면을 몰입해서 보는 것에 중점을 두기보다는 내가 어떻게 보고 있는지를 느끼는 것, 내가 그 공간에 있다는 것을 알아차리는 것이 작품에서 중요했거든요. 또 어떤 분은 맞은편 객석과 마주 보고 있다 보니 자신이 관객으로 노출되는 것이 너무 부담스러웠다는 얘기를 하기도 하고요. 본다는 행위 안에 개인의 심리가 고스란히 반영되어 있어요. 이후 「나는 그 사람이 느끼는 것을 생각한다」에서는 원형의 의자 배치로 객석을 만들었는데요, 안무가인 저도 그 원형의 의자 안에 앉아 있었어요. 작가로서 우위에 서 있지 않고 동일하게 보는 시점에 서는 것이죠. 다 같이 노출되어 있는 공간이라는 것을 반영하고 싶었거든요. 결국 나의 몸에서 발생하는 감각과 현상에 주목하게 된다는 것인데 저는 이것이 중요한 포인트라고 생각했어요. 내 몸에서 어떤 행위와 감각이 발생하는지 들여다보고 싶은 것이죠. 극장에서 무엇인가를 볼 때 자기 몸을 관찰하지 않잖아요. 근데 저는 자신의 몸에 집중하는 것을 상기시키고 싶었어요.

예술적 경험은 나를 낯설게 만들기 때문에 불편함을 동반할 수 있다고 생각합니다. 이때 불편함과 불쾌감은 구분해 볼 필요가 있죠. 불편함을 나쁘다고만 볼 수는 없어요. 감각적 경험이 새롭게 발생할 때 그것이 불쾌감으로 넘어가는 지점에 대해서는 스스로 반문해 볼 수 있어야 한다고 생각해요. 관객들 입장에서도 자기감정을 잘 들여다봐야 하는 부분이고요. 대부분 '모른다'라는 감정을 싫다, 불편하다고 인식하고 '안다'라고 느낄 때 그것이 좋다는 감정으로 연결한다고 해

관객들이 스스로의 몸을 알아차리면서 쾌감을 느낄 수도 있지만 한편으로는 낯섦과 불편함을 동반할 수도 있을 것 같아요.

「저장된 실제」 세 번째 스튜디오 © 서울무용센터
죽음을 연상시키는 이미지들로 움직임을 만들었다.

「저장된 실제」 첫 번째 스튜디오 © 서울무용센터
무용수가 옷을 벗는 과정이 암전과 불이 켜지는 상황 속에서 전개된다.

요. 하지만 내가 모른다고 해서 그것이 과연 나쁜 것일까요? 사람들이 익숙한 것을 계속 찾게 되는 이유도 그것이 더 좋다고 느끼기 때문인데 다시 생각해 보면 불편한 감각은 새로운 질문을 던지는 발로가 될 수 있어요. 저는 예술이 세상을 다시 바라보게 하는 역할이 있다고 생각합니다. 그러기 위해서는 불편함을 수용할 필요가 있고요.

작품에 블루 스크린이나 카메라 시점을 설정하는 등 영화적 언어를 적극적으로 활용하면서 기대했던 지점이 있나요?

당시 영화가 할 수 있는 것은 너무 많은 반면 무용은 제한적이라는 생각이 들었어요. 영화는 다양한 것들을 할 수 있잖아요. 시간 이동이 가능하고 공간 편집도 할 수 있으니까요. 그러한 편집점들이 현실을 왜곡하고 다르게 볼 수 있는 가능성을 품고 있는 반면 공연예술의 경우 그것을 보여줄 수 있는 방식이 한정적이죠. 그렇다면 무용이 존재할 수 있는 핵심은 무엇일까를 생각했고 영화라는 장르와 비교, 충돌로 이야기를 해보고 싶었어요. 그랬을 때 우리가 공연예술과 영화를 보러 가는 이유, 그 강점이 더 부각될 수 있으니까요. 그래서 영화와 공연을 나란히 두고 그 접점과 차이를 살펴보고자 했어요.

그렇다면 작품을 진행하면서 발견한 영화와 공연의 힘, 그 특징은 무엇이었나요?

공연은 관객이 그 공간 자체를 경험한다는 점에서 차이가 있어요. 영화는 동시간대가 아니기에 편집점을 가지고 있지만 무용 공간은 클로즈업에서 풀숏으로 이동했다가 갑자기 다른 공간으로 이동하는 편집이 일어나지 않잖아요. 춤을 추는 것이 '보는 것'을 다각도의 경험으로 확장시킬 수 있다고 생각하는데 공연예술에서 춤을 보여주는 방식이 시각에만 치우쳐져 있다는 생각이 들었어요. 특히 무대 위에서 다루는 재료가 몸인데 그것이 영상이라는 화면 안에 들어갈 때와 실제로 실감할 때 느껴지는 것은 굉장히 다르다고 생각해요. 시각 위에 분위기, 관객과의 호흡, 사람의 숫자, 공간의 온도 그런 요소들이 그 공간 안에서만 온전히 경험될 수 있는 '현장감'으로 발현되거든요. 관객과 무대가 호흡하는 현장성은 공연예술이 지닌 힘이란 생각이 들어요. 또 한편으로는 영화를 만들기 위한 과정에서도 그 현장성이 드러나게 되잖아요. 역으로 영화를 볼 때에는 관객이 스크린을 통해 장면을 보지만 카메라의 시점이 어떻게 구성되고 조명 연출이나 장면의 움직임이 어떻게 만들어지는지를 상상해 볼 수 있다는 생각이 들었어요.

한편으로는 우리가 극장을 찾게 되는 이유는 영화와 공연 예술에 있어서 모두 공통적일 것 같아요.

저는 이것이 감각적인 경험에 있다고 생각해요. 영화나 공연을 볼 때 그 시간성이 작품이 이루어지는 시간만을 가리킨다고 생각하지 않거든요. 저는 신기하게도 극장에서 티켓을 끊고 기다리는 순간의 설렘은 그 작업과 무관하게 항상 발생하더라고요. 그것이 극장을 찾게 되는 이유가 아닐까, 라는 생각이 들었죠. 또 한편으로는 극장을 나와서도 그 영화나 공연을 보았던 기억이 다시 떠오르기도 하잖아요. 다음날에도 문득 그 영화나 공연의 잔상이 떠오르는 그런 순간이 있어요. 작품이 관객의 기억과 느낌으로 확장된다면 본다는 경험은 단지 그 작품에만 국한되지 않아요. 「저장된 실제」에서는 그 경험을 확장해 다뤄보고자 했어요. 한마디로 극장에서 이루어지는 수동적인 관람 방식을 흐트러뜨리고 싶었던 것이죠. 보여주기만 하는 일방적인 방식이 아니라 서로 보고 보이는 관계성을 작품에서 다뤄보고 싶었어요. 「저장된 실제」는 마지막에 관객이 영상을 봐야

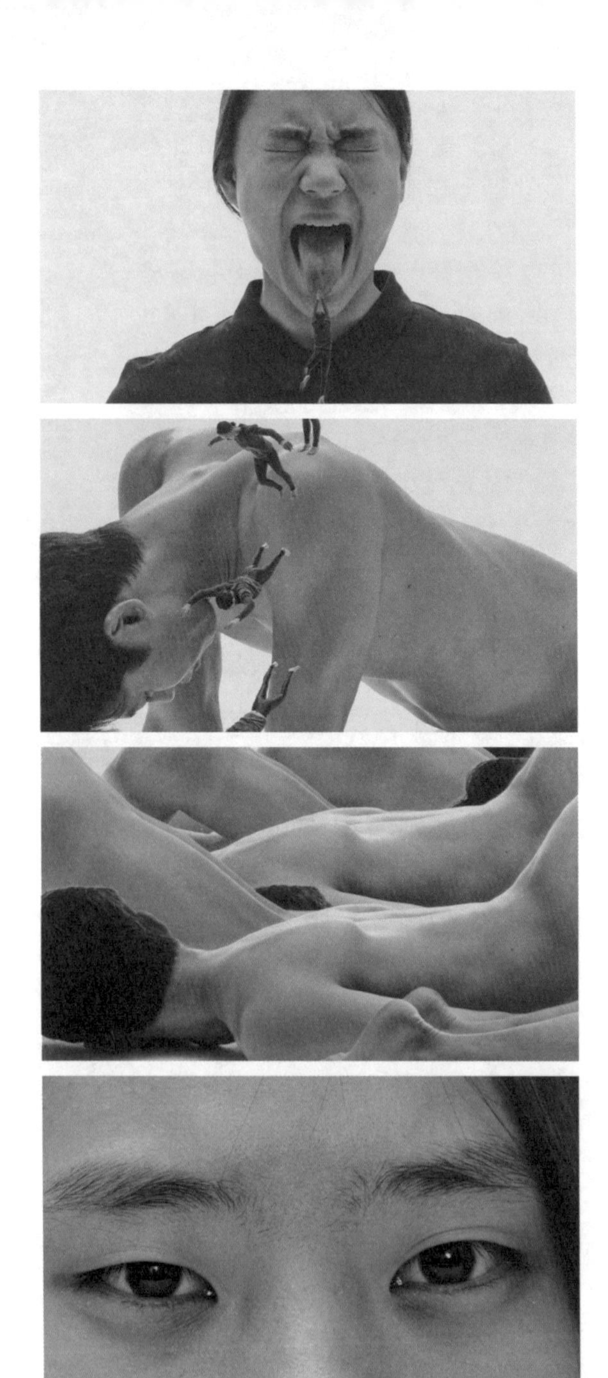

영화 〈저장된 실제〉의 장면들
무용수들의 움직임을 종합하여 포토몽타주 기법으로 만들었다.

만 완성되기 때문에 관객 스스로의, 다시 그 작품을 떠올릴 수 있는 경험이 훨씬 더 중요하다고 생각했거든요.

공연이 끝난 뒤에 관객들에게 제공된 영상 역시 그러한 기억과 감각적 경험들을 되살리기 위한 것이었나요?

네, 극장에서 작품을 볼 때에는 같은 시간 같은 장소에서 같은 공동의 경험을 하지만 영상을 개인적으로 나눠주었을 때는 사적인 공간에서 보게 되잖아요. 시공간이 아예 달라지는 것들, 그러한 환경의 차이를 통해 극장에 대한 감각이 떠오르게 되는 지점들, 동시에 이 경험과 기억이 개인으로부터 풀려나가게 되는 특성이 더 드러나게 되지 않을까, 라는 생각을 했어요. 그래서 공연에서 이루어졌던 무용수들의 움직임과 장면들로만 이루어진 영상을 포토몽타주 기법으로 만들었어요. 그것이 다시 극장에서의 기억을 환기시켜 주는 매개체가 되기를 바랐죠.

이 영상은 오직 몸으로만 이루어져 있는데요, 이렇게 연출하신 특별한 이유가 있나요?

영상 속 이미지는 모두 공연에 등장했던 동작을 바탕으로 만들었어요. 이미지 자체는 움직이는데 각 인물들은 정지된 스틸 이미지라는 점에서 죽음과 맞닿아 있다는 생각도 들었고요. 여자 무용수가 정면을 바라볼 때에는 영상을 바라보는 관객을 바라보는 동시에 그 너머를 바라보는 느낌을 주고자 했으니까요.

이 작업을 만들었을 당시에 영화가 가진 특성을 많이 떠올렸어요. 영화는 시간도 옮길 수 있고 공간도 바꿀 수 있고 미래에 갈 수도 있고 과거로 이동했다가 시간의 조작도 가능하잖아요. 그리고 엄청난 규모의 세상을 만들어낼 수 있기 때문에 영상을 만들 때에는 오히려 현실에서 일어날 수 없는 장면들을 더 구체적으로 쓰게 되었어요.

또 영상 속 공간은 추상적이고 어떻게 보면 모호한, 이름을 붙이기 어려운 공간이지만 한편으로는 몸으로만 이루어진 장소예요. 몸이 몸을 타고 있고 여러 가지 몸들이 등장하고 그 몸의 형상만으로 서사가 만들어질 수 있다는 생각을 했어요. 실제로 남자 무용수의 중첩된 몸은 파도를 연상해서 만든 이미지였거든요. 그것을 무대 위로 옮겨 놓으면 이상했겠지만 오히려 영화이기에 가능한 장면이었어요.

그리고 또 한편으로는 영화를 볼 때 전혀 다른 시공간으로의 차원 이동이 가능하듯이 공연은 물리적인 시공간은 제한되어 있지만 그것을 초월한 장소에서 만날 수 있다는 생각이 들었어요. 그러한 추상적이고 초현실적인 공간을 영상 안에 담고자 했습니다.

공연을 보러 온 관객들의 입장에서는 영상을 감상하는 것이 생소하고 낯선 경험이었을 것 같아요. 그들의 후기는 어땠나요?

사람마다 영상을 보는 시점도 달랐어요. 영상을 받아서 바로 본 사람도 있고 그다음 날 본 사람도 있고 또 아예 안 본 사람도 있었어요. 공연 다음 날 문자로 “그 영상을 아침에 보았는데 아직도 가슴이 쿵쿵 뛰어요”라는 소감을 전해준 분도 계셨고 실제 공연이 이루어진 그 현장만으로도 충분했다고 얘기하는 분도 있었어요. 그렇지만 많은 사람들이 그 영상을 보면서 다시 공연을 떠올리게 되었다는 얘기를 해주셨어요. 그 영상을 언제 어떻게 접하는지에 따라서 경험치가 다르게 작동했다고 봐요. 오히려 현장을 감각적으로 느낀 사람은 영상을 보면서 몸의 감각들이 떨어진다고 느낄 수 있고 그다음 날 본 사람은 그것을 다르게 보니까 어제의 시공간으로 다가갈 수 있는 통로가 되었던 것 같아요. 조금 시간이

지나면 이 영상이 아련하게 다가올 수도 있겠죠. 영상이 살아 있는 몸으로 전달될 때도 있고 그냥 이미지로 저장돼서 끝나버리는 경우도 물론 있고요.

작품을 관람한 관객들의 경험과 기억이 더 실제적일 수 있다고 생각하시나요?

네, 같은 작품을 보고 나서도 관객들은 각자 다른 경험을 안고 있어요. 관객들의 몸에 저장된 감각으로 머릿속에 떠오르는 이미지의 조합들, 잔상들, 인상들이 있을 텐데 그것은 개인마다 각각 다르고 오히려 그러한 감상이 작품 자체보다 더 실제적인 경험, 실제로 존재하는 작품의 영역이 아닐까, 라는 생각을 했어요. 작업이 전달하고자 하는 메시지 이전에 관객 각자가 감각적으로 받아들이고 느끼는 지점들이 우리가 예술 작품을 보는 이유이기도 하니까요.

관객들은 각자 다르게 작품은 바라보지만 또 그 안에 생겨나는 공통점이 있네요.

관객이 작품과 목적 없이 연결되어 있을 때 발생하는 감각이 있어요. 일종의 느슨한 공동체라고도 말할 수 있을 것 같아요. 친밀함이 없지만 말할 수 없는 어떤 연결성을 가지고 있는 상태죠. 실제로 작품을 했던 이 공간이 방음이 안 되었어요. 무용수들이 발을 쿵쿵 구르거나 떨어지는 소리들이 너무 잘 들리는 환경이었어요. 공연을 관람하다가 옆 스튜디오에서 어떤 소리가 들리니까 무슨 소리지? 이렇게 환기되는 순간들을 접하면서 이곳이 다른 곳과 연결되어 있다는 것을 작품 안에서 더 수용하게 되었어요. 실제 무용수들도 이 작품이 어떻게 구성되어 있는지는 알았지만 사실 작품이 이루어지는 내내 한 번도 서로를 본 적이 없거든요. 연관성 없이 스스로 다 해내는 구조였던 것이죠. 독립된 개인이지만 한편으로는 서로 연결되어 있는 지점이 저에게는 더 흥미롭게 다가와요. 공간을 경험하는 것 역시 우리가 극장을 찾는 이유와 밀접하게 연결되어 있고요.

「저장된 실제」에서 제기한 '본다는 것'에 대한 질문은 2020년에 만든 「음———」이라는 작품으로도 이어집니다. 이 작업의 출발점은 무엇이었나요?

「음———」이란 작업은 코로나 이후 만든 작품이에요. 당시 공연이나 무용이 영상물로 많이 제작되고 있었는데 그 과정에서 놓치고 있는 것이 무엇일까?라는 질문에서 출발하게 되었어요. 이 작업에서도 「저장된 실제」와 마찬가지로 보는 것에 대한 생각을 많이 했어요. 그러나 「저장된 실제」에서는 어디론가 솟구친다거나 떨어지기 직전처럼 결론에 봉착하기 이전의 미정적 상태에 주목했다면, 「음———」에서는 기다리는 감각에 주목했어요. 이때의 기다림이라는 것은 목적이 있다기보다는 막연한 것이었어요. 무엇인가 다가오는 것을 기다리는 상태. 누군가가 오기를 기다리는 시간이 있고 막연한 기다림이 있잖아요. 그런 시간을 떠올렸어요. 그것은 무엇인가 떠오르기 직전 음... 하고 고민하는 상태이기도 하고 아기가 옹알이할 때 내는 소리나 언어 이전의 상태이기도 해요. 저는 그 기다림이란 감각이 서 있거나 움직일 때보다 엉덩이에서 시작되더라고요(웃음). 그래서 무용수들이 앉아 있는 상태에서 시작하게 되었어요.

'음-'은 노래와 언어의 원형으로서 어떤 소리이기도 하는데요, 실제로 원시인들은 언어가 발달하기 이전 의사소통의 수단으로 '음성을 사용한 노래'와 같은 발성을 교환했대요. 이러한 언어는 정보 전달과는 다르게 감정을 일으키고 결속을 강화하는 특징을 가지고 있다고 해요. 이처럼 목적성 없이 공동의 상태에 이르게 하는 것을 작품에서 무엇인가를 기다리는 상태로 표현하고 싶었어요.

'정관헌'이라는 장소도 특별하다고 느껴집니다. 덕수궁 내부에 위치한 이 장소는 어떻게 선택하게 되셨어요?

이 장소는 옵/신 페스티벌에서 제안을 해주셨어요. 이 공간에 관한 정확한 정보는 밝혀진 바가 없지만 러시아 건축가가 만들었을 가능성이 있다고 해요. 처음 '정관헌'을 방문했을 때는 내부에 들어갈 수 없게 되어 있었어요. 그러나 본래 이 장소는 고종이 커피를 마시던 장소라는 이야기를 듣고 분명 안에서 밖을 바라보도록 지어진 건물일 것이란 생각을 했죠. 이 건물의 용도는 밖에서 감상하는 건축물이 아닌 안에서 바라보는 목적을 가진 공간이고 안에서 공간을 바라볼 때 어떤 일이 일어날지 궁금했어요. 그 공간 안에서, 들어가서 하는 경험은 몸의 경험이지 시각적인 경험이 아니라고 생각했거든요.

바깥 풍경을 바라볼 수 있는 건축물이 극장과 비슷하다는 생각도 들어요.

'정관헌'은 실제로 '조용히 내다본다'라는 뜻을 가지고 있다고 하는데요, 이 공간의 구조가 굉장히 아름다웠어요. 여기서 아름답다는 건 시각적인 문제라기보다는 이것을 바라보는 것만으로 시공간을 경험하게 만드는, 어떤 차이를 느끼게 되는 시간에 관한 것이었어요. 무용수들이 만들어내는 소리의 진동들이 공간을 감싸주면서 시공간을 한 걸음 더 멀리서 바라볼 수 있게 해주는 지점이 있었어요. 그것이 꿈같기도 하지만 꿈이라는 메타포로 넘어가는 것을 바라지는 않았고 감각으로 다가오기를 바랐죠. 실제로 그 공간에서 무용수가 잠을 잤으면 좋겠다는 생각이 들기도 했지만 사실 잠을 자기는 어려운 공간이라고 생각했어요. 오히려 잠을 자기 직전의 상태, 몽롱한 상태인 동시에 자기 직전의 상태에 더 주목하고 싶었어요.

「음———」(2020) © 박수환
관객 맞은편에 무용수들이 나란히 앉아서 공연이
시작된다.

영화를 보고 나왔을 때 극장을 나서며 갖게 되는 기시감이랄까요, 이쪽에서 저쪽 세계로 건너가면서 갖게 되는 낯선 감각들이 떠오릅니다.

무엇인가가 행해지기에는 지연된 상태이기도 하고 멈춰 있는 상태를 다뤄보고 싶었어요. 생각이 약간 지연된 상태랄까요. 어떤 움직임이 일어나기 직전의 상태들이 있잖아요. 흔히 공연에서는 '마가 떴다'고 하는데요, 동시에 정적이 일어난다거나 그런 이상하고 낯선 순간들이 있어요. 대화를 시끄럽게 나누다가 그 누구도 약속하지 않았는데 딱! 멈춤의 순간이 일어날 때가 있어요. 흐르고 흘러가고 움직이고 있다가 갑자기 멈춤이 발생하는 진공 상태, 완전히 정지되어 죽은 상태가 아니라 무언가로 넘어가기 위한 멈춤의 순간이 있죠. 시공간이 붕 뜬 그런 시간을 떠올렸고 지금 우리가 겪고 있는 이 시기가 연상되기도 했어요. 어떻게 보면 사건이 일어나기 직전의 상태들의 감각에 주목했던 것 같아요. '방금 무슨 일이 일어났던 거지?'와 같은 낯선 감각들이 지금 여기를 더 잘 알아차릴 수 있게 한다는 생각이 들었어요.

「음———」은 영상으로도 만드셨는데 이 작품은 무용수들의 움직임보다는 풍경과 텍스트를 중점으로 보여주고 있어요.

네, 애초에 이 작업은 무용수들의 움직임을 보여주는 것이 목적이 아니었기 때문에 관객이 이 공간에서 무엇을 보고 느끼는지를 전달하는 것이 중요했어요. 풍경이나 이 공간을 감싸고 있는 분위기, 시간의 흐름이 영상 안에 녹아들길 바랐고요. 그래서 공연을 보고 난 관객들의 후기를 기록해서 내레이션으로 엮은 뒤에 영상을 만들었습니다.

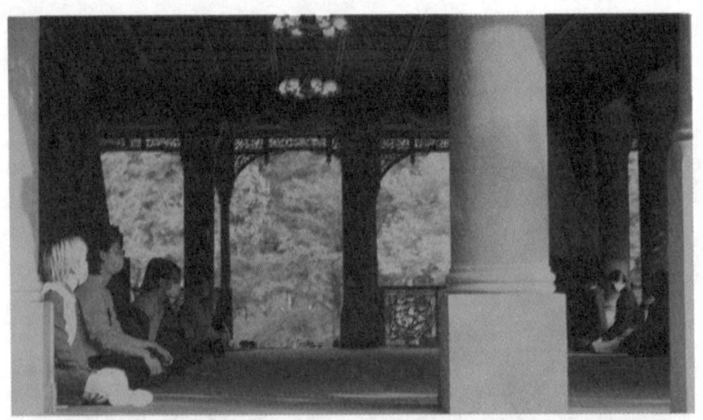

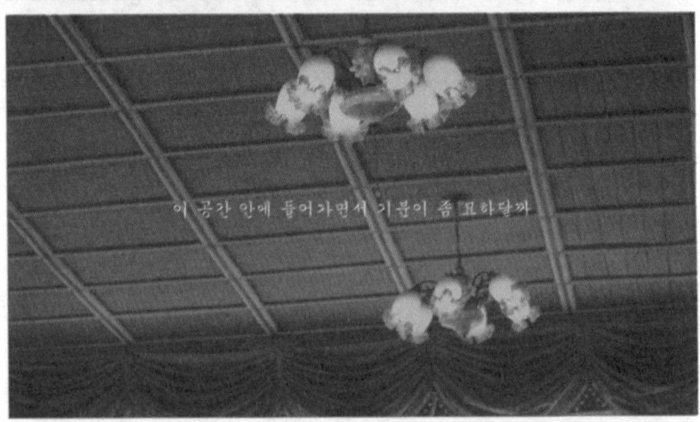
이 공간 안에 들어가면서 기분이 좀 묘하달까

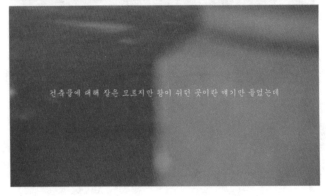
건축물에 대해 잘은 모르지만 왕이 쉬던 곳이란 얘기만 들었는데

〈음———〉(2020) © 고유희
관객들의 감상과 소감을 텍스트화하여 영상에 입혔다.

「음———」 © 이의록
남자 무용수 한 명이 잠을 자고 있는 마지막 장면

작품을 진행하면서 기억에 남는 장면이 있나요?

「음———」의 마지막 장면에서 남자 무용수가 잠을 자는 포즈로 오래 남아 있는데요, 날파리 떼가 남자 무용수 머리 위를 맴돌고 있었어요. 정말 일장춘몽처럼요. 해가 지는 빛과 잠을 자는 장면이 영화처럼 펼쳐졌어요. 나중에 그 장면을 본 어떤 관객분은 궁극의 아름다움을 본 것 같다는 소감을 전해 주시더라고요. 빛과 풍경 속에서 나른함이 신비롭게 만들어지는 순간이었어요.

관객이 이동하면서

새로운 형식은 낯설기 때문에 관객이 어렵게 느

작품을 관람하게 하거나 야외에서 작품을 선보이는 등 이러한 실험을 계속해 나가는 동력은 무엇인가요?

낄 수 있다고 생각해요. 그런데 낯설기 때문에 기존에 익숙했던 관습에 대해 다시 생각해 볼 수 있는 계기가 된다는 점이 중요합니다. 특히 공연예술의 경우 관객은 무엇인가를 제공받길 원하는 관습 안에 있기 때문에 더욱더 보편적인 관람 형태의 익숙한 문법에 대해 질문을 던질 필요가 있다고 생각했어요. 물론 관객이 명시적인 것을 전달받기 원할 때에는 바로 전달이 어려울 수 있다고 생각해요. 그렇지만 어렵기 때문에 다시 사유해 볼 수 있는 접점이 생기는 것이죠. 그리고 어렵다고 해서 보편적인 지점이 없다고 생각하지 않아요. 작업을 보고 100명 중에 2명이 같은 것을 느꼈다면 그것은 더 이상 소수의 주관적인 감각이 아니거든요.

그동안 극장을 벗어난 다양한 장소를 경유하셨는데요, 「검정감각」은 다시 극장으로 되돌아갔어요.

저는 극장이 보고 보이는 관계 안에서 각자의 힘을 가지고 있다고 생각해요. 객석에 앉는 순간 관객에게 혹은 무대 위에 올라서는 순간 무용수에게 요구되는 특정한 상태가 있거든요. 이미 구조적으로 관습적으로 요구되는 무언의 약속이 서로에게 전제되어 있어요. 그래서 관객과 무용수가 맺는 관계를 다르게 만들기 위해 구조적인 변화를 일으켜서 극장을 벗어나는 시도를 했었죠. 「검정감각」의 경우는 전통적인 무대를 사용할 수밖에 없는 상황이 주어졌어요. 그래서 기존의 관습을 전복할 수 있는 방법을 찾다가 그것을 보는 것이 아닌 다른 감각들 예를 들면 촉각, 청각과 같은 감각들로 표현해 보자는 생각을 하게 되었어요. 그래서 눈을 감는 무용수와 소리를 전달하는 모티프로 작품을 만들게 되었어요.

「검정감각」(2019) © 옥상훈

작업이 공통적으로 시간을 느끼는 몸의 감각과 밀접한 관련을 맺고 있어요. 작품을 만들 때 시간성을 어떻게 바라보고 계시나요?

「저장된 실제」를 만들 시점부터 미래라는 감각이 무엇일지를 생각하고 있었어요, 우리가 흔히 미래를 떠올릴 때 상상의 관념 속에 나오는 하얀색 바닥과 금색, 단순하고 인공적이고 세련된 그러한 시공간의 이미지가 정말 우리의 미래일까?라는 의문을 품고 있었어요. 앞으로 다가올 미래가 어떨지 정확히 알 수 없다면 굉장히 오래전부터, 과거부터 있었던 것이 지금까지 남아 앞으로도 남을 수 있는 것이 미래가 될 수 있지 않을까, 그리고 그것이 사라질 때 정말 우리가 모르는 미래가 오지 않을까 하는 생각이 들었어요. 그래서 더욱더 과거의 오래된 그 무엇과 앞으로 다가올 그것을 몸을 통해 연결해 보고 싶었어요. 실제로 우리 몸에는 '내'가 경험한 기억, 습관, 감각뿐만 아니라 '나'를 넘어서서 유전자를 통해 내려오는 역사적 기억과 징후를 포함하고 있어요. 예를 들어 컵을 떨어뜨리는 순간 나는 그것이 깨질 것이란 것을 깨지기 전부터 알아차리는 몸의 감각들이 있죠. 무의식적인 운동신경과 반응을 통해 떨어지는 컵을 받아낼 수도 있고 컵이 깨질 것을 알고 근육이 수축하는 반응이 먼저 오기도 하고요. 만약 미래에 인공지능이나 VR을 통해 우리가 현재 걷거나 말하거나 움직이는 혹은 사고하는 방식이 달라진다면 우리가 몸으로 느끼는 감각 체계의 변화를 알아차리기 위해선 지금 여기 우리가 느끼는 감각부터 알아야 한다는 생각이 있었어요. 무대의 허상을 수용하기 위해 그것으로부터 거리 두기를 통해 허구성을 노출하는 형식이 필요했듯이 우리가 느끼는 감각 역시 그것이 무엇인지 알아차려야 앞으로 도래할 미래를 수용할 수 있겠다는 생각이 들었죠. 「저장된 실제」를 만들 당시에는 움직임을 통한 즉각적인 반응, 충격, 신체의 살덩어리가 주는 즉물적인 감각에 주목했다면,

「나는 그 사람이 느끼는 것을 생각한다」라는 작품을 선보인 이후 「검정감각」과 「음———」 작업으로 활동이 이어지면서 몸으로 느끼는 부분과 정신적인 부분을 분리하면서 그 시간성을 미래의 가능성으로 확장하고자 했어요. 미래에 사라질 지금 여기의 감각과 미래에도 여전히 사라지지 않을 과거의 감각이 무엇일지 명확히 바라보고 싶기도 했고요.

앞으로 작업에서 어떤 질문을 안고 계시는지 궁금합니다.

그동안 소수의 관객과 가까이에서 만날 수 있는 작업을 해왔었어요. 다수의 관객과 큰 규모의 작품이 가져다 주는 경험에서 놓칠 수 있는 감각을 작은 인원의 작업 방식에서 찾을 수 있다고 생각했거든요. 그런데 「음———」 작업을 하면서 어떤 관객이 "나만을 위한 공연을 본 것 같아 기쁘다"라는 소감을 전해주셨을 때 이 부분에 대해 반문이 들었어요. 이 작품을 볼 수 있는 경로가 제한적이고 이러한 작품을 관람할 기회가 지적, 문화적 자본을 소유한 사람들에게만 해당하는 것이라면, 소수의 형태로 작품을 하는 행위 자체가 편파적인 구조가 될 수 있겠다는 생각이 들더라고요. 예전에는 무용이 어렵다고 느껴져서 적은 인원이라도 만나면 더 많은 사람에게 퍼져 나갈 수 있다고 생각했지만 지금도 여전히 무용에 대한 장벽은 높아요. 좋아하는 사람들은 여전히 공연을 찾지만, 그 정보조차도 얻기가 쉽지 않고 보고 싶어도 책정된 관객이 소수라면 볼 수조차 없죠. 작품이 희소성을 가질 때 그 안에서 관객으로서 계급이 나누어지는 현상에 질문을 던지고 싶어졌어요. 그래서 최근에는 작업의 규모를 키워보자는 생각을 하고 있습니다. 이전에는 예술이 소수에 주목하지 않다 보니 그 소수의 목소리에 주목하는 작업을 해왔다면 현재는 소수만을 위한 공연이 많이 이루어지는 것 같아서 앞으로는 오히려 많은 사람이 공유할 수 있는 작업을 하고 싶어요. 힘의 균형을 다시 되찾는 방식으로요. 그래서 최근에는 미래라는 시간 감각과 더불어 미래의 관객이 누구일까 하는 질문을 하고 있어요.

무진형제

무진형제는 정무진, 정효영, 정영돈 세 명으로 구성된 미디어 작가 그룹이다. 이들은 문학과 신화, 동시대 담론으로부터 발견한 낯선 감각을 재구성한 작품을 선보인다. 무진형제가 주목하는 주제는 신화, 역사적 기록들, 고전 텍스트에서부터 일상을 살아가는 이웃과 평범한 노동자에 이르기까지 넓고 방대하다. 이들은 그 서사의 단면을 고고학자처럼 발굴하고 추출하여 언어로 전달될 수 없는 시대적 징후를 읽고 그려낸다.

특히 가장자리와 주변부를 향한 관심은 무진형제의 작업에서 빼놓을 수 없는 수식어다. 이들은 그 보이지 않는 목소리를 다층적으로 엮어내며 소통의 언어를 확장해 왔다. 생존을 위해 노동을 멈출 수 없는 노동자의 모순적 삶에 귀를 기울이는 〈결구〉(2015), 어디에도 소속되지 않는 존재가 주는 매혹과 두려움을 형상화하는 〈오드라덱〉(2013)은 기존의 사회 질서 혹은 고정 관념 속에 방치된 타인의 역사가 '지금 여기'를 살고 있는 당신의 삶과 무관하지 않음을 역설한다.

무진형제의 작업은 영상 설치부터 상영, 공공미술 프로젝트에 이르기까지 특정한 매체와 장르에 국한되지 않는다. 추상적인 이미지 너머로 도약하는 이야기의 힘을 보여주는 〈비화〉(2016)나 스톱모션 애니메이션으로 세대 간 소통의 문제를 다루는 〈풍경(風經)〉(2016)은 한 가지 형식에 매몰되지 않는 실험적 태도를 단적으로 보여준다. 이처럼 대담하고 독특한 영상 언어로 두각을 나타낸 무진형제는 그 작품성을 인정받아 코리아 비디오 아트 프로덕션 어워드 2019년에 수상하기도 했다.

작품이 관객과 소통하는 '공동의 장'이길 바라는 무진형제의 바람대로 이들의 작업은 메시지를 전달하는 입장에 서기보다는 관객들이 스스로 해석하며 다양한 경로에서 만나는 방식을 추구해 왔다. 특히 100명이 넘는 노인을 인터뷰하며 태몽을 수집하는 「태각」(2017-2018) 프로젝트는 무진형제의 작업 세계가 공동의 이야기로 저변을 넓혀가고 있음을 단적으로 보여주고 있다.

서로 다른 전공을 바탕으로 협업하는 무진형제는 직접 시나리오를 쓰고 무대를 만들고 촬영한다. 작업 과정에서부터 공동성을 품고 있는 이들의 행보는 자연스럽게 공동체가 나아가는 길을 묻는다. 개인의 사적인 연대기가 어떻게 보편적인 이야기로 환원될 수 있는지 사유하는 무진형제의 작업은 시대의 방향성을 반문하고 증언하는 또 다른 눈이다.

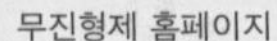

무진형제 홈페이지

〈노인은 사자 꿈을 꾸고 있었다 1〉(2019)
트레일러

익숙한 풍경의 틈을 비추는 낯선 시선

현실의 순간을 새로운 이야기나 연극적인 환경으로 재구성해서 보여주는 작업 방식이 인상적입니다.

지금까지 저희의 작업은 사전에 구상하고 조사한 것들을 바탕으로 영상 안에서 미술적인 감각으로 재구성해 왔습니다. 카메라에 담긴 것들을 있는 그대로 제시하기보다, 미술적 장치를 통해 얘기하는 작업들이 대부분입니다. 이러한 작업 방식이 현실 그대로의 모습에 대한 부정은 아닙니다. 가령 재개발로 사라져가는 동네의 이야기를 찍는다고 할 때 우리가 카메라로 그 장소를 정말 있는 그대로 담을 수 있을까요. 가령 그 장소에는 부재한 사람들의 이야기가 숨겨져 있고, 잊힌 과거의 풍경이 중첩돼 있습니다. 그래서 저희는 그 장소로부터 들은 이야기, 인상 깊은 장면들, 그곳으로부터 생성된 감정의 조각들로 새로운 설치 작업과 신화 속 인물들을 상상하며 이를 영상에서 미술적 장치를 통해 구현하려 합니다.

〈풍경(風經)〉은 다른 영상 작업에 비해 이야기와 이미지가 구체적인 작품입니다. 이 작업은 어떻게 만들게 되셨어요?

저희 아버지 세대에 관해 이야기를 하고 싶었어요. 끝내 자식들과 소통되지 못한 채 말들이 바람처럼 흩어져 버리는 윗세대들에 관해 생각을 하다 보니 이런 작업을 만들게 되었습니다. 마지막에 등장하는 '미르메콜레온'은 『보르헤스의 상상 동물 이야기』에서 차용된 이야기로 가지고 왔어요. 머리는 사자인데 몸은 개미 같고, 그래서 초식도 육식도 할 수 없으며, 야생성과 순응성의 어느 한 방향으로도 갈 수 없어, 어떻게든 균형을 맞춰갈 수밖에 없는 세대죠. 이전 세대의 것들을 지켜가려고 하면서도 한편으로는 그걸 거부하는 마음도 있어서 도무지 어떻게 살아야 할지 알 수 없는 마음을 표현해 보고 싶었어요. 청춘을 중심으로 우리 사회의 세대 문제와 윗세대로부터 괴리되는 지금의 청춘들에 관해 이야기하고 싶었습니다. 또한 세대 간의 괴리와 다름, 그로 인해 소통할 수 없는 세태에 대해 질문한 작업이기도 합니다. 한 번쯤 이런 주제로 작업을 하고 싶었는데 그때 마침 '세월호 사건'을 겪게 되었습니다. 평소에 어른들로부터 제일 듣기 싫어했던 말이 '가만히 있어라'입니다. 그 사건을 계기로 젊은 우리는 윗세대가 명령하듯이 던지는 그 말을 어떻게 받아들이고 들어야 할지, 그들이 만든 사회 시스템을 비롯한 모든 과거의 것들을 어떻게 수용할 수 있을지에 대한 의구심이 들었습니다.

이야기를 구상할 때 '미르메콜레온' 캐릭터를 떠올린 특별한 이유가 있나요?

『보르헤스의 상상 동물 이야기』에서 '미르메콜레온'이 등장하는 부분이 매우 인상 깊었습니다. 작업할 당시엔 상상 속 동물임에도 꼭 우리 시대 젊은이들의 모습 그대로를 드러낸 것 같았거든요. '미르메콜레온'은 사자의 머리로 고기를 먹으려 하면 그의 개미 몸이 소화를 못 시키고, 개미의 몸뚱어리로 풀을 뜯어 먹으려 하지만 사자의 머리가 받아들이지 못합니다. 냉혹한 현실 앞에서 날카로운 이빨을 드러낼 수도 없고 주어진 상황에 순응하며 살 수도 없는 동시대 젊은이들의 모습 그대로였습니다. 어떻게든 그는 결핍된 신체로 인해 죽음을 맞이하겠지만, 그 신체의 강렬하면서도 모순된 욕구, 즉 끝내 채워지지 않을 식욕에 의해 살고 있습니다. 그때보다 더 나이를 먹은 지금, 무진형제에게 '미르메콜레온'이란 존재는 모든 세대로 확장돼서 받아들여집니다. 엉망진창인 세상에서 결핍과 배고픔이야말로 저희를 움직이게 하는 가장 큰 동력이니까요.

작품에 등장하는 눈이 달린 시계나 머리가 두 개인 뱀의 형상이 의미심장한데요, 어떤 지점을 보여주고자 했나요?

그러한 장치들은 영상 속 주인공들의 객관적 시간과 역사의 인식을 은유적으로 보여줍니다. 영상 속 시계에는 많은 눈이 달려 있지만, 주인공들 중 어느 누구도 이를 정확히 인식할 수 없습니다. 주인공은 대부분의 시간을 일을 하며 보내기 때문입니다. 그러다 아주 가끔 시계를 보며 바늘과 눈을 맞추고서야 소위 객관적인 시간이란 것이 얼마만큼 흘렀는지 알 수 있습니다. 각자가 처한 현실과 상황에 따라 세계의 흐름과 역사적 사건들을 띄엄띄엄 파악할 수밖에 없잖아요. 영상의 주된 배경인 주인공의 집 또한 그의 노동과 생활에 의해 쓰이고 구획 지어지며 동시에 객관적인 시간이나 역사적 사건 등이 왜곡되고 분절돼 무수한 틈을 만들어

〈풍경(風經)〉(2016)의 한 장면

내는 곳이 되어버립니다. 그 집 안을 떠도는 기이한 생명체들과 알 수 없는 현상들은 바로 그 틈으로부터 비롯됩니다. 주인공이 평범한 생활을 할 땐 객관적인 시간이 알아서 작동하고 있겠죠. 하지만 어느 순간 객관적인 시간의 흐름이나 자연스럽게 작동되던 시스템이 무너질 때, 주인공을 둘러싼 삶의 다른 측면이 열리기도 합니다. 현관의 '우로보로스'가 결계를 치고, 눈에 잘 보이지 않은 채 집 안을 배회하던 온갖 신화적 동물들이 집 안 한가운데서 춤을 추기 시작하고, 갑자기 미르메콜레온이 등장해 주인공 형제들을 뒷걸음치게 만드는 거죠. 무진형제도 어릴 때 아주 가끔 비슷한 경험을 한 적이 있었습니다. 함께 살고 있지만 사실 눈에 보이지 않는 존재들의 소환에 관한 것인데요. 집안에 큰 우환이 닥쳤을 때 집안 어르신들이 갑자기 터줏대감을 위해 상을 차리고 부엌으로 가 조왕신께 빌고, 무진형제 중 한 명이 배 속에서 거꾸로 태어날 뻔했을 때 삼신할머니께 비는 의식을 치르기도 했습니다. 그런 존재들이 갑자기 소환됐을 때 우리 집이란 공간은 보이지 않는 시간과 무수한 경험으로 확장되어 갑니다. 아무래도 무진형제의 작업에는 이런 영향이 있는 것 같습니다.

〈풍경(風經)〉에 등장하는 '바람의 말'은 소통의 어려움을 보여주기도 하지만 한편으로는 어디서나 바람을 느낄 수 있다는

주인공의 집 밖에서는 무수히 많은 타인들의 말들이 바람처럼 떠돌고 있습니다. 나이, 성별, 거주지 등의 이유로 인해 생성된 타인의 말들입니다. 그 바람의 말들 속에는 주인공 형제들의 아버지가 전한 말도 포함돼 있죠. 하지만 형제들은 문을 꽁꽁 걸어 잠근 채 그 말들을 차단해 버립니다. 물론 그들이 모르는 사이에 알 수 없는 존재들이 집 안을 돌아다니듯, 그들의 주변을 맴돌던 타인의 말, 혹은 다른 세대의 언어들은 그들 집 안을 배회하던 신화적인 존재들처럼 점점 더 뚜렷하게 부각됩니다. 때론 바람의 말을 차단한 채 살아가는 형제들을 이용해 더욱 문을 꽁꽁 걸어 잠그게 만드는 또 다른 외부의 말이 있습니다. 형제들이 전단지로 전해 받은 공식적이고 단호한 명령어죠. 그 말들은 뚜렷하게 기록돼 있고 매우 분명하게 읽힙니다. 바람처럼 흐르기엔 너무도 무겁게 형제들의 삶에 가라앉은 부유물 같은 말들입니다. 〈풍경(風經)〉을 만들 당시, 무진형제는 우리 세대가 들을 수 없고 듣지 않으려는 윗세대들의 언어를 기이한 옛이야기 또는 신화와 연결해 이해하려 했습니다. 하지만 어느 정도 시간이 지난 후 저희는 〈여름으로 가는 문〉(2018)과 「태각」 그리고 〈노인은 사자 꿈을 꾸고 있었다〉(2019)란 작업을 통해 만났던 다양한 세대가 전하려 하지만 잘 들리지 않던 말들, 개인의 내밀한 말과 웅얼거림까지 〈풍경(風經)〉에서 언급된 바람의 말에 포함해야 한다는 걸 알게 되었습니다. 〈노인은 사자 꿈을 꾸고 있었다〉의

점에서 또 다른 소통의 가능성이 떠오르기도 합니다.

세대 간 소통의 문제를 담은 〈풍경(風經)〉

노인과 함께 지내며 우리는 그의 느린 몸짓과 옛 이름들이 난무하는 잠꼬대를 통해 그가 전하는 정주의 의미를 곱씹을 수 있었습니다. 반면 〈여름으로 가는 문〉을 촬영하는 내내 우리는 말이 잘 통하지 않던 소년이 줄넘기에 매진하는 모습을 보며 도리어 그가 보내고 있는 뜨거운 한순간을 체감할 수 있었습니다. 그렇게 무진형제는 〈풍경(風經)〉에서의 바람의 말을 동시대의 다양한 인물들과의 만남을 통해 확장해 나갈 수 있었습니다.

〈풍경(風經)〉은 애니메이션으로 작업을 하셨어요. 작업과정에서 기존의 영상매체와는 어떤 차이점이 있었나요?

스톱모션 영상은 보통 세트를 작게 미니어처로 제작합니다. 그런데 저희는 세트를 3m×3m×3m 크기로 매우 크게 제작했습니다. 그렇게 만들었음에도 불구하고 우리의 신체가 느끼는 공간과 시간, 그리고 영상에서 등장하는 인물들의 공간과 시간의 간극이 커서 그것을 맞추기가 힘들었습니다. 특히 스톱모션 애니메이션은 작업을 하는 동안 초 단위로 생각하며 움직여야 하는데, 저희는 워낙 큰 세트와 인형으로 작업해 마치 우리가 연기를 하듯이 움직여야만 했습니다. 그때마다 저희는 평소 자연스럽게 했던 행동 하나하나를 초당 24프레임의 스톱모션 촬영 방식에 맞춰 분절해야 했고요. 그때 우리가 무의식적으로 하나의 행동을 할 때조차 엄청나게 많은 프레임이 담긴다는 것을 신체적으로 체감했습니다. 공간과 시간을 인식하는 데 있어서 굉장히 새로운 경험을 할 수 있었죠. 아무래도 세트가 설치된 곳이 저희가 일상적으로 생활하는 공간이다 보니 평소와 다른 시간 계산과 몸짓이 더욱 부각될 수밖에 없었죠. 이제는 스톱모션 작업을 어떻게 해야 할지 알기 때문에 다시는 〈풍경(風經)〉 때와 같은 실수와 수고를 반복하지 않겠지만, 어쨌든 그때 커다란 인형과 대형 오브제들과 한 몸

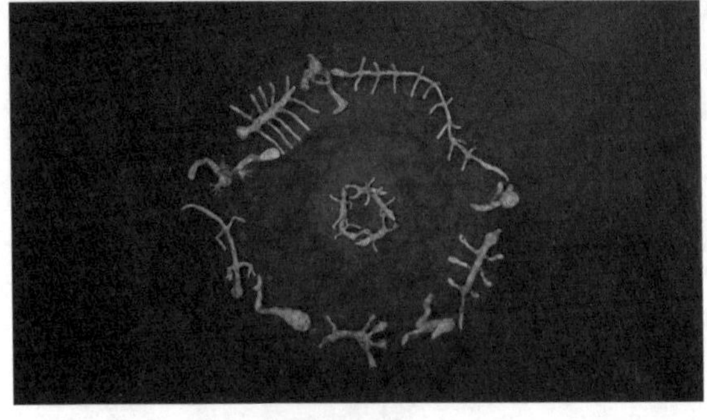

〈풍경(風經)〉의 장면들
스톱모션 영상 기법으로 제작했다.

이 되어 움직였던 기억은 지금까지도 새로운 경험으로 각인되어 있습니다.

1부와 2부 모두 50분 정도로 이루어진 작품입니다. 그중 1부는 한 노인의 낮 시간의 모습을 담고 있습니다. 한 세기에 가까운 시간을 한곳에서만 정주한 노인의 신체와 공간을 있는 그대로 바라보고 싶었어요. 2부에서는 1부의 노인과 노인의 아들, 그리고 주인공의 거주와 관련된 서사가 펼쳐집니다. 그런데 각각의 이야기가 이어지지 않고 영상에서도 각기 다른 장면과 내레이션의 공백에 의해 '분철된 족보'처럼 펼쳐지죠. 동시대를 살고 있는 3대가 전혀 다른 거주 방식에 따라 어떻게 공존할 수 있을지 다뤄보고 싶었습니다. 아울러 다른 공간과 삶의 방식, 그리고 전혀 다른 거주 방식에도 불구하고 3대가 어떻게 소통하고 공존하는지 질문을 던진 작업이기도 합니다.

이번엔 〈노인은 사자 꿈을 꾸고 있었다〉 작업 이야기로 넘어가 보고 싶습니다. 두 영상은 서로 독립된 작품이지만 긴밀한 연결성을 갖고 있어요.

할아버지는 아주 큰 집에서 다복한 가족이 많은 집을 꿈꾸셨지만 혼자 계시다가 돌아가셨고, 아버지도 도시에서 나만의 안락한 가정을 꿈꾸시면서 집을 마련했지만 결국 일터로 나가야만 했던 삶을 살 수밖에 없었어요. 정교하게 무엇인가를 깎는데 그럴수록 사라질 수밖에 없는 것을 떠올리게 되었습니다. 또 한편으로는 삶의 흔적, 삶의 시간이 계속해서 닳아지고 무너지는, 다소 부정적인 의미로 생각할 수 있는데, 그런 가치 판단 이전에 삶 자체를 관조해 보고 싶었습니다. 한 사람의 삶의

특히 〈노인은 사자 꿈을 꾸고 있었다 2〉의 초반부에 등장하는 석고 깎는 장면이 인상적입니다.

〈노인은 사자 꿈을 꾸고 있었다 1〉(2019)

〈노인은 사자 꿈을 꾸고 있었다 2〉(2019)

〈노인은 사자 꿈을 꾸고 있었다 2〉에 등장하는 석고 깎는 장면

모습을 이야기하면, 결국 그의 시간과 신체가 깎이고 길을 내다 결국엔 사라지는데, 그 삶의 흔적과도 같은 가루가 자연스럽게 떨어지며 만들어내는 이미지가 무척 아름다워요. 영상의 중간 중간 등장하는 우주의 어느 한 곳을 담아낸 것 같은 장면들은 석고를 깎고 남은 것들이 떨어지며 만들어낸 이미지입니다. 새김의 행위 뒤에 오는 가루들이 만들어내는 모습들이 은하의 우주 같기도 하고 별자리의 장면 같기도 합니다. 각자 삶에 길을 내기 위해 깎는 과정은 정해진 시간성 안에서 진행되지만, 그것을 멀리서 보면 우주와 같은 이미지일 수도 있겠구나 싶었습니다. 그런 관점을 보여주고 싶었어요.

'시간이 깎인다'는 표현이 인상적입니다. 삶을 완성해 나가기보다는 사라지는 삶의 형태에 집중하고 있다는 생각이 드는데요, 이 부분에 관한 이야기를 좀 더 듣고 싶습니다.

구가 생성되는 과정으로 삶의 형태를 얘기하고 싶지 않았습니다. 그보다 이미 만들어져 주어진 구에(삶은 이미 태어난 순간 존재하는 것이니까요) 어떻게 길을 내며 사라지는가의 문제가 더 흥미로웠습니다. 사람은 살면서 길을 낸다는 말이 있듯이 깎이면서 만들어내는 다양한 길들이 우리의 삶을 더 잘 표현한다고 생각했습니다. 구를 실제로 조각하며 우리가 원하는 방향으로 깎기 어렵다는 걸 알게 되었습니다. 틀어지기도 하고 엇나가기도 하고 그러다 생각지도 못하게 잘 깎여서 예쁜 길이 생기기도 합니다. 하지만 그렇게 다양한 모습으로 깎이는 길들이 계속해서 생겨남과 동시에 구는 점점 작아지죠. 그 모습이 하루하루 나이 들어가는 우리의 삶과 닮아 있다는 생각이 들었습니다. 그런데 아이러니하게도 다 깎이고 떨어지면서 만들어진 조각 가루들이 또 다른 새로운 이미지를 만들어냅니다. 마치 우주의 이미지 같았습니다. 영상에 등장하는 우주의 이미지는 바로 그러한 깎임과 소멸의 과정으로부터 생성된 결과물입니다. 물론 그 우주 이미지는 다 깎인 구의 가루를 목격하고 주워 모아야 만들어질 수 있습니다. 노인과 그의 아들의 거주 이야기가 누군가의 기억과 앎을 토대로 재구성된 것처럼요. 이 영상의 중간에는 빙판 위를 달리는 스케이트 장면도 함께 등장합니다. 그 매끈함은 깎기 전의 구와 비슷하지만 깎인 순간에 생긴 얼음 파편은 금세 사라져버리고 맙니다. 그 영상에서는 흔적을 남기지 않은 채 이리저리 떠돌며 살아갈 수밖에 없는 우리의 거주 방식이 투영되어 있습니다. 젊은 세대의 거주지는 가상의 이미지로 선명하게 검색되지만 그는 자신의 거주 이야기와 삶의 방식을 전할 누군가가 없습니다. 아무래도 그는 자신의 할아버지와 아버지와 달리 어디에도 흔적을 남기지 않고, 누구에게도 기억되지 않은 채 소멸할지 모르겠습니다. 그가 낸 길로부터 남은 파편을 줍고 그걸 한데 모아 한 생의 이야기를 재구성해 줄 후세가 없기 때문이죠.

1부에 등장하는 할아버지 집은 오늘날의 거주 형태와는 다르다고 느껴지는데요, 어떤 점을 주목하고자 했나요?

할아버지가 집을 지으시고 한곳에 정주하며 살아가고 계셨습니다. 비단 그의 삶뿐만 아니라 그가 만든 거주지에도 그 주인의 삶과 비슷한 시간성이 누적되어 있었죠. 저희의 삶과는 너무 다릅니다. 그래서 100년의 삶을 정주한 할아버지의 삶 자체가 우리에게 어떤 의미가 있을지 궁금했습니다. 그의 오랜 정주의 역사는 주변의 환경과도 함께 진행되어 왔습니다. 그의 100년에 가까운 정주는 거대한 호수였던 곳이 논과 밭이 되고 산이 있던 곳이 빈터가 되어 다시 집이 세워지는 엄청난 시간성을 통과해 왔습니다. 영상에서 노인이 잠꼬대하는 소리가 들려요. 나중에 듣게 된 꿈 이야기는 옛날 본인들이 살았던 시대의 이야기였는데 지금 노인이 살고 있는 환경과는 또 다른 꿈의 서사 방식이 재미있었어요. 저희는 몰랐던 역사이기도 하고, 모르는 이미지인데 꿈을 통해 잠꼬대로 드러난다는 것이 이상하기도 하고 낯설었습니다.

할아버지가 이야기해 주셨던 꿈 중에 기억에 남는 것이 있을까요? 이렇게 포착한 장면이 작업에는 어떻게 반영되었나요?

영상에서 보면 “하나 마나 하더라”, “잊어버리고 안 와부러” 이 두 대사를 제외한 모든 할아버지 말소리는 새벽에 녹음한 잠꼬대 소리인데요, 할아버지가 낮에 활동하시는 시간에 잠꼬대를 입혔어요. 영상의 중얼거리는 듯한 소리는 할아버지가 잠꼬대를 하시는 소리인데 낮 장면에도 이 소리를 입혔어요. 낮과 밤이 중첩된 것처럼 무엇이 꿈이고 무엇이 깨어 있는지 모르는 상황을 담고 싶었어요. 장면 역시 클로즈업으로 촬영해서 주름이나 이런 것들을 낯설게 보여주고 싶었고 노인과의 거리감을 좁혀보고 싶기도 했고요. 개인의 기억이 꿈의 내용과 잠꼬대로 드러난다는 것이 흥미롭기도 하고 역사라는 것이 객관적인 이름과 지명에 그치지 않고 개인의 몸속에 간직한 환경과 기억, 또 다른 이름으로 존재한다는 것을 느꼈습니다.

할아버지의 꿈 이야기는 특정한 사건이라기보다 그가 약 한 세기를 살아온 마을의 옛 풍경과 이름, 그리고 그곳에 살았지만 지금은 없는 사람들과의 매우 평범한 일상과도 같았습니다. 아주 오래전 먼 옛날 그의 기억에만 남은 사람들과 사라진 장소에 대한 얘기가 대부분이었거든요. 지금은 없어진 언덕 위 큰 나무 아래서 어딘가로 자꾸 걸어가는 그의 아버지를 애타게 부른다든지, 그 사이에 지금은 안 계신 동생분들이 등장해 그 이름들을 호통치듯 부르기도 합니다. 새벽에 그가 부르는 무수한 옛 사

3대의 거주 이야기를 보여주는 〈노인은 사자 꿈을 꾸고 있었다 2〉

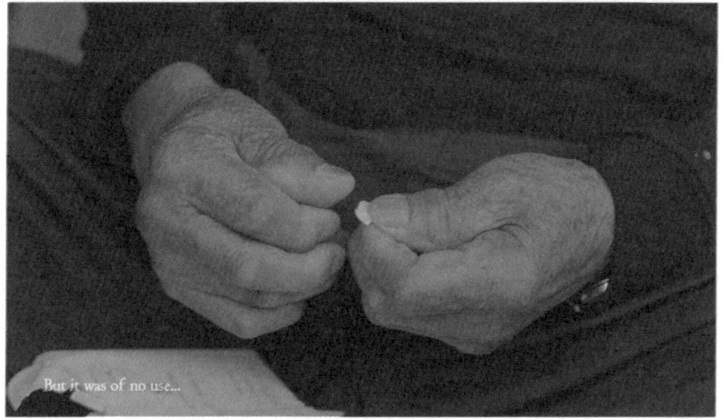

〈노인은 사자 꿈을 꾸고 있었다 1〉
노인의 낮 시간 모습을 담았다.

람들의 이름과 알 수 없는 말들에 의해 저희도 자주 잠에서 깰 수밖에 없었죠. 위의 질문에서 우리는 할아버지의 잠꼬대를 언급했는데, 그 잠꼬대로부터 구체적인 이름들을 지웠습니다. 내밀한 가족사와 연결되는 부분이 있어서요. 사실 그는 자신의 지나온 삶을 자주 얘기해 주었지만, 그렇게 전달되는 얘기보다 그의 잠꼬대를 통해 전달되는 얘기가 주는 아우라가 더 컸습니다. 그가 낮에 잘 내비치지 않던 수많은 감정들이 잠꼬대를 통해 드러났거든요. 그래서 이상하게도 그의 꿈 얘기는 그가 말로 전달하는 것보다 잠꼬대를 통해 듣는 게 더 실감 났습니다. 가령 살아생전 친하게 지내다 급사한 지인이 꿈에 나타날 때 그의 잠꼬대는 매우 안타깝고 슬픈 어조로 바뀌는데요. 다음 날 그로부터 지인에 관한 이야기를 들으면 그런 감정들이 잘 드러나지 않습니다. 그냥 지나간 것들에 대한 쓸쓸함뿐이죠. 사라지고 파괴되고 부재한 것들에 대한 그의 기억은 우리가 결코 알 수 없는 세계와 역사 속 장면일 수도 있지만 그의 잠꼬대는 거기에 담긴 무

〈노인은 사자 꿈을 꾸고 있었다 1〉의 한 장면

수한 감정선들을 드러냅니다. 그걸 우리가 어떻게 정확한 말로 옮기고 번역할 수 있을까요. 오직 그의 꿈에서만 나름의 이미지와 말로 작동되고 있는 장면인데요. 그 번역 불가의 언어, 재현 불가능한 이미지가 내는 잠꼬대 소리에 무진형제가 강렬하게 이끌렸을 뿐입니다. 그래서 우리는 다소 쓸쓸해 보이는 노인의 현재, 가령 가족사진과 옛 물건들에 둘러싸여 불편한 자세로 잠을 자는 모습과 마치 모든 기능을 잃은 듯한 거주지의 빈 공간에 그의 잠꼬대를 중첩시켜 예전의 그의 삶, 그가 현재 꾸고 있는 꿈속의 내용을 각자 유추할 수 있게 만들었습니다.

할아버지를 오랫동안 촬영하면서 무진형제의 생각이나 느낀 점도 달라졌을 것 같아요.

멀리서 바라볼 때에는 노인이 주무시고 계신지 깨어 있으신지 잘 분간이 가지 않는데요, 촬영을 시작하고 가까이 다가가니 망원이나 광각에서 느낄 수 없었던 미세한 움직임들이 포착되었어요. 그런데 90m 메크로렌즈로 카메라를 당기면 초점을 맞추기가 어려워요. 그러한 흔들림이 역동적으로 보이기도 하고 실제로 할아버지를 촬영하는 것 자체도 굉장히 예민하고 날카롭게 그 운동성을 따라가야 했어요. 그 과정에서 눈으로 보는 빠름과 느림이 다가 아니라는 걸 느꼈죠. 가까이서 보면 그 사람이 얼마나 많은 힘을 내서 한순간 빠르게 움직이고 그러다 멈춘다는 것을 알 수 있어요. 그래서 노인들만의 신체가 보여줄 수 있는 속도가 있다는 걸 알게 되었죠. 이 작업을 만든 뒤에 동네에 파킨슨병을 앓고 계신 분이 굉장히 느리게 휠체어를 타고 움직이는 것을 목격하게 되었는데 그 움직임이 다르게 보이기도 했습니다. 이분이 엄청난 힘을 내서 본인만의 속도를 변화시키고 있다는 것을 실감할 수 있었어요. 결국 우리 모두 다른 몸의 속도로 살고 있다는 걸 알 수 있죠.

영상을 촬영하고 난 뒤에 또 하나의 변화가 있어요. 최근 병원에서 상주 보호자로 어머니를 간호하게 되었는데 같은 병실에 팔순 구순의 뇌졸중 환자들이 계십니다. 낮에는 그분들의 존재감이 없는데 밤만 되면 고통스러워서 소리를 지르신다거나 가래나 혈액을 빼는 기계 소리가 들리기도 해요. 기계 소리가 커지면 갑자기 어떤 할머니가 웅얼거리듯이 아프다는 말을 내뱉어요. 그러면 맞은편에서 침묵하고 있던 할머니가 화답하듯이 이상한 소리를 내요. 그렇게 세 분이 밤새도록 대화를 나누듯 온몸으로 아픔과 고통의 소리를 내지릅니다. 예전 같으면 잠을 못 자고 불평불만을 쏟아냈을 텐데 이 작업을 거치고 나니 노년의 신체와 그들이 내는 소리들이 이전과 다르게 들렸습니다. 그들이 내는 소리로부터 어떤 리듬을 발견하기도 하고 그 소리가 주고받는 대화 같기도 했거든요. 그걸 듣다 잠이 들기도 했고요. 그들의 대화를 듣다 보면 인간의 병든 몸 위에 나이든 몸이 겹쳐져 내는 소리가 동시에 들릴 때가 있습니다. 마치 〈노인은 사자 꿈을 꾸고 있었다〉의 노인이 잠꼬대 도중에 내뱉던 신음 소리도 그와 비슷했죠.

노인이 지닌 역동성처럼 멀리서 볼 때는 미처 알지 못했던 것들을 다시 바라보게 되는 지점이 있네요.

〈여름으로 가는 문〉은 "나는 키가 작아 아무것도 할 수 없어"라고 말을 하면서도 하루에 4,000개씩 줄넘기를 하는 사춘기 소년에 관한 작업이에요.

소년은 아침마다 4,000개씩 줄넘기를 합니다. 어떻게 보면 무용한 움직임이라고도 볼 수 있어요. 이 소년이 줄넘기를 한 것은 살을 빼기 위한 목적이 아니었어요. 여드름이 많이 나는 사춘기 시기에 에너지를 어떻게든 분출해야겠다는 추측이 들기도 하지만 본인

한편 〈여름으로 가는 문〉에서는 소년의 일상에 주목하고 있어요.

〈여름으로 가는 문〉(2018) 설치 전경

의 입에서 나온 말은 아니었고 정작 본인의 입에서 나온 말은 스스로가 무력하다는 부정적인 말이 전부였습니다. 사실 줄넘기라는 행위를 통해 더 큰 말을 전달하고 있다는 생각이 들었어요. 이런 모순됨이 재미있고 흥미로웠어요.

설치를 통해 다른 감각을 주는 효과가 있어요. 영상의 타임라인에 시작과 끝이 있고 그 안에서 서사를 구축하기보다는 줄넘기를 하는 행위의 다층적인 요소들을 관객들이 복합적으로 체험하고 공간을 거닐면서 경험할 수 있는 환경으로 전달하고 싶었어요. 〈여름으로 가는 문〉은 1층과 2층 어디에도 속하지 않는 기다란 통로 같은 애매한 공간이 있는데요. 이 공간의 구조가 삶의 애매한 지점을 통과하고 있는 소년과 닮아 보였

이 작업은 특정 공간에서 텍스트, 설치와 함께 선보이셨는데요, 상영과 달리 전시에 주목하게 될 때 작업 방식에

달라지는 것들이 있나요?

습니다. 그 공간을 폐허의 공간으로 재구성한 건 소년에게 자신을 통제하고 다그치는 어른들의 세계야말로 실상은 소통이 불가능하고 어떠한 비전도 제시해 주지 못하는 폐허로 받아들여지고 있었기 때문입니다.

이렇게 열린 구조로 만들 때 관객과의 소통에 있어서도 새롭게 다가왔던 부분이 있나요?

저희는 참여형 공공미술 작업을 할 때 작업에 대한 피드백을 가장 많이 받는 편입니다. 사실 저희는 참여형 공공미술 작업을 할 때조차 관객들에게 최대한 다양한 경로를 제시하거든요. 또한 관객분들도 매우 솔직하고 다양한 피드백을 주십니다. 사실 전시장에서 작업을 전시할 때 피드백이 직접적으로 전달되지 않습니다. 아무래도 미술 관객분들은 원하는 시간에 미술관을 찾아 조용히 작업을 관람하고 자리를 뜨는 분들이 대부분이거든요. 작가와의 대화가 있지만 영화계의 GV(Guest Visit)처럼 작가와 함께 관람하고 많은 대화를 나눌 기회도 거의 없고요. 그런 상황에서 참여형 공공미술을 할 때 비로소 현장에서 많은 분들을 만나 함께 작업도 하고 얘기를 나누기도 합니다. 그중 인상 깊었던 건 저희가 2014년도에 작업했던 「M의 장」입니다. 파주의 대표적인 장소 네 곳을 돌아다니며 다양한 관객들과 함께 진행했던 작업인데요. 네 곳에 거대한 구조물을 설치하고 그 안에 스파이 미러로 만든 기둥과 카메라를 심었습니다. 다소 어두컴컴한 공간에 들어서면 커다란 조명이 관객들을 비추는데요. 그때 스파이 미러에 비춘 모습을 보며 관객이 생각하고 상상한 바를 구조물 외벽에 그리고 쓰는 작업이었습니다. 예상외로 너무 많은 이야기와 이미지를 제시해 주셨는데요. 그중에서 가장 인상 깊었던 건 한 초등학교 학생들의 반응이었습니다. 최전방에 위치한 곳인데,

아침 조회 때 바로 옆 군부대에서 훈련하며 내는 포 소리에도 아이들은 아무렇지 않게 조회를 하고 체조를 하고 있더군요. 그때 한 학생이 운동장에 설치된 「M의 장」으로 와서 참여한 뒤 남긴 말이 정말 인상 깊었는데요. 스파이 미러에 비춘 자신의 모습을 '빛의 강아지'라고 표현했습니다. 이 밖에도 초등학생을 비롯한 어린이 관람객들이 인상 깊은 그림과 글귀를 많이 남겼습니다. 그런 글귀와 그림을 하나하나 보며 저희도 참여형 공공미술 작업에 매료되었죠. 이후에도 공공미술을 하며 동시대의 다양한 직업군과 연령대의 관객들과 직접 만나 작업하며, 영상 작업을 할 때도 많은 영감을 받을 수 있었습니다.

〈결구〉는 직접 겪은 일에서 출발한 작업이기에 다큐멘터리적으로 담아낼 수도 있었을 텐데 연극 무대를 재가공하여 만드셨어요.

다큐멘터리적인 요소로 시도할 수도 있었겠지만 2014년도 당시에는 저희의 경험을 어떻게 미술적으로 구축해 볼까에 관심을 가지고 있었고, 저희만의 기술과 기법으로 표현하고 싶다는 생각이 들었습니다. 〈적막의 시대〉와 〈결구〉는 서로의 경험을 공유하는 방식이 중요했습니다. 그런데 하나의 사건에 대해 세 명이 이야기를 하면 아무리 묘사를 해도 다른 이미지와 기억들이 충돌하기 마련입니다. 신기한 건 나중에 함께 일했던 사람들과 대화할 때도 같은 공간에서 비슷한 경험을 했다고 생각했는데 각자가 자신의 위치에서 보고 들은 것들을 조합해 보니 실제라고 믿었던 이미지와 말들이 죄다 왜곡되어 있었습니다. 획일적인 노동 환경과 구조물들이 각자의 신체 조건과 감각에 따라 전혀 다른 모습으로 기억되었기 때문이죠. 그래서 무진형제 내에서 공통의 이미지를 구축하고 만들어가는 방식이 무엇일까를 찾게 되었고, 현실에 기반한 자료를 토대로 함께 상상하고 이미지를 만들게 된 거죠.

〈결구〉(2015)
주인공 'M'이 터널에서 유지·보수 작업을 하는 장면

그때 당시에 느꼈던 저희의 경험을 어떻게 다른 방식으로 은유할 것인지, 토론하는 과정이 재미있어요. 그리고 이야기를 나누고 경험하는 과정에서 파생되는 이야기가 어떤 결과물로 나올지 예상이 되지는 않는다는 점도 흥미롭고요. 구축된 결과를 공유하고 기다리는 과정이 재미있어서 작업을 하게 되는 것 같아요. 관객들이 저희가 심어놓은 미술적인 장치에 반응을 보이는 것도 재밌었습니다.

일상에서 포착되는 순간을 재가공하여 보여줄 때 그것이 타인의 경험이 아닌 우리 모두의 보편적인 이야기로 확장된다고 느껴졌어요. 그것이 작가 개인이 아닌 '무진형제'라는 '우리'로 작업하는 방식과도 관련이 있을까요?

나의 이야기라고 생각해 기억하고 있는 장면이나 상상하는 바를 다른 팀원들에게 전달하다 보면 처음의 기억과 상상과는 다른 이야기로 받아들여질 때가 있습니다. 내 속에 간직하고 있던 것들을 세상 밖으로 내뱉는 순간 더 이상 나만의 이야기가 아닌 게 되어버리는 거죠. 그래서 무진형제는 작업할 때 이미 내뱉은 이야기는 개인의 경험이나 생각으로부터 출발했더라도 내뱉어지는 순간 공유되고 우리의 이야기가 된다고 생각합니다. 작업의 구상은 거기서부터 시작되죠. 때론 나만 기억하고 경험했던 이야기라 생각했는데 다른 팀원들에 의해 전혀 예측하지 못했던 살이 붙고 중요하게 여겼던 것들이 싹둑 잘리기도 하는 경험을 하곤 합니다. 그럴 때 자의식이 발동되기도 하는데요. 아니다 싶으면 끝까지 우기면서도 어느새 작업에 새로운 이미지나 이야기가 붙게 되면 저절로 새로운 이야기로 이동해 함께 작업의 틀을 완성해 나가곤 합니다. 공통 작업에서는 기다림도 중요합니다. 설득과 싸움의 과정에서도 누군가 납득하지 못하면 남은 사람들이 잠시 작업을 멈추고 기다려줘야 하는 거죠.

굳이 공감이 되는 부분을 끼워 넣거나 애써 바꾸려 하지 않고 그렇게 천천히 얘기하고 서로를 설득해 가면서 작업하기에 무진형제 영상의 결말 또한 자연스럽게 관객들에게 열린 결말과 질문 등으로 이어지게 되는 것 같습니다.

긴 대화와 기다림이 동반되었기 때문일까요. 〈결구〉 역시 많은 것들이 절제된 작업인데요, 구체적인 대사나 서사를 최소화한 이유가 있나요?

원래는 내레이션을 적었었는데 화면과 어울리는 것이 무엇인지 붙여보면서 한 문장 한 문장 지워나갔더니 결국 침묵이 남았어요. 뭔가를 쓰기를 했었는데 다 지워지고 침묵으로 가게 되었던 작업입니다. 일하는 것을 써서 막상 읽어보면 민망하다고 해야 하나? 그때그때마다 기억이 다른 것 같기도 하고 일할 때도 말없이 일을 하듯이 노동할 때의 상황에서 전달되는 기분과 느낌을 전달하는 것에 주목하고 싶었어요. 물류센터에서 경험하면서 느꼈던 기억들을 공유하는 것이 〈결구〉에서 제시하는 중심적인 텍스트였는데 영상의 이미지와 겹친다는 생각도 들었죠. 이미 이미지로 주어졌는데 사람이 또 이야기를 하면 설명한다는 느낌도 들고 오히려 이미지와 실제 노동 현장에서 느꼈던 감정을 제대로 관객들에게 제시하기 위해서 내레이션을 통해 언어로 표현하기보다 노동자가 체험했던 갑갑한 공장 소리를 보여주는 것이 효과적이라는 생각도 들었습니다.

'묵묵히 자신의 결구를 향해 가고 있는 자'를 통해 무진형제가

〈결구〉는 죽음을 연상시킨다는 점에 있어서 비관적인 쪽으로 보신 분들도 꽤 있습니다. 저희가 던진 의문에 대한 답이 상반되는 게 참 재미있었고, 그나마 긍정적인 반응은 극히 드물었습니다. 이 영상은 저희 팀원 중 한 명이 작업하겠

다가가고자 한 지점은 무엇인가요?

다며 물류센터에서 파트타임 노동자로 몇 년 일하다 잠시 관뒀을 때 찍었습니다. 몸도 이곳저곳 망가지고 필요한 돈을 버는 것 외에 단순 반복 노동이라는 게 삶에서 무슨 의미가 있나 싶었습니다. 그런데 막상 작업에 들어가며 현장에서의 경험이 쉽게 잊히거나 무의미하게 흘려보낼 수 있는 게 아니란 걸 알게 되었습니다. 〈결구〉는 무진형제가 살고 있는 아파트 옥상에서 찍었는데요. 같은 아파트 지하에는 아파트 청소부 아주머니들의 쉼터가 있었습니다. 〈결구〉에서 주인공이 사고를 당한 뒤 배회하게 된 그 공간입니다. 말이 쉼터지 그곳에 들어가면 빛도 들어오지 않고 강렬한 시멘트 냄새를 맡고 있다 보면 머리가 지끈거릴 정도입니다. 저희가 살고 있는 아파트 구조와 똑같이 공간이 구획되어 있지만, 도배도 페인트도 되지 않은 채 콘크리트와 각종 배관들이 그대로 드러나 있는 곳입니다. 그 쉼터에 60-70대의 청소 담당 아주머니들이 잠깐 쉬기도 하고 점심도 해결하십니다. 나이가 든 뒤에도 제 몫의 일을 하고 먹고살 비용을 스스로의 힘으로 마련하고 계셨죠. 밥벌이를 위한 노동이 죽을 때까지 끝나지 않을 거란 걸 알게 되었습니다. 더 이상 피할 곳이 없는 거죠. 간혹 〈결구〉의 주인공이 결국 허름한 휴게실을 나가서 어디로 갔느냐고 질문하는 분들이 계십니다. 그에 대한 답은 〈결구〉 작업을 마친 뒤 물류센터를 관뒀던 팀원이 밥벌이를 위해 얼마 후 다른 물류센터에 재입사를 했다는 걸로 대신하겠습니다. 어쩌면 전혀 다르거나 정반대의 결구를 향해 갈 수도 있겠죠. 그런데 무진형제의 그 팀원은 어쩐지 지금 이 현실과 다른 유토피아 혹은 디스토피아가 따로 있다는 것 자체를 믿지 않기에 일단 당면한 현실을 받아들이고 밥벌이에 매진하는 쪽을 선택했습니다. 그 노동으로부터 얻어지는 게 비록 밥을 구하기 위해 벌어들이는 돈뿐이라 해도 어쨌든 그렇게 벌어들인 돈으로 밥 먹고 일이 지겨워질 때쯤 그 삶으로부터 끄집어낸 새로운 이야기를 바탕으로 작업을 하기 때문입니다.

노동으로서 일을 하는 것과 작업을 만드는 일에 차이가 있다면 무엇일까요?

노동은 아무리 긍정하려 해도 일상의 자연스러운 흐름에 꼭 기분 나쁜 단절을 불러옵니다. 오전 오후 야간으로 구분된 시간에 주로 물류센터에서 컨베이어 벨트 위의 상품들을 포장하거나 주문서에 맞춰 상품을 모으는 일을 했는데요. 그 시간에 신체가 하는 일은 (구획된 시간에) 맞추고 (결정된 지시에) 따르고 (정해진 공간에) 적응하는 게 대부분입니다. 물류센터에서 일을 하거나 노동을 할 때는 맞춰진 시간에 신체를 껴 맞추는 생각이 들어요. 그게 참 힘듭니다. 실제로 일을 했던 물류센터의 공간은 굉장히 넓어요. 컨베이어 벨트 사이사이도 되게 넓습니다. 〈결구〉에 등장하는 터널 역시 굉장히 넓은 공간이고요. 그런데 노동자들은 자기도 모르게 굉장히 쭈그리고 가요. 허리를 피면 설 수 있음에도 불구하고 몸을 맞추게 되는 이유가 뭘까. 노동을 할 때에는 몸이 그 환경에 맞춰지는 무엇인가 있는데 그런 부분들을 다뤄보고 싶었어요. 사실 노동과 작업은 정확한 구분이 어렵습니다. 노동하는 시간에는 제 안에서 다른 시간이 생성되기도 합니다. 당시의 경험과 인상은 작업으로 이어지기 마련이죠. 매우 수동적이고 폭력적이지만 그러한 자극이 때로 작업에 많은 영감을 주기도 합니다. 노동을 하는 동안 느끼는 기분 나쁜 감정과 우울감을 차분히 관찰하다 보면 충만하다 못해 터지기 직전인 자의식의 어느 한 부분을 매우 강제적인 방식으로 건드리기 때문이란 걸 알 때도 있습니다. 특히 여러 사람들과 함께 일할 때 그런 자의식이 자주 발견되죠. 확실히 나름의 장단점이 있습니다. 반면, 영상 작업은 수행처럼 행해집니다. 그런데 때때로

이 자율적인 선택에 의해 진행되는 작업이 일처럼 느껴질 때도 있습니다. 그럼에도 자꾸만 작업을 하게 되는 건 시간과 몸에 강제적으로 새겨지는 단절이 없기 때문입니다. 계속해서 사유하고 상상하고 작업을 구상하는 시간이 자연스럽게 제 일상과 몸의 흐름과 겹쳐지거든요. 굳이 침묵하지 않아도 되고 제 몸과 입이 내는 소리를 참지 않아도 되죠. 노동은 질문을 할 수 없고 말을 할 수 없잖아요. 작업을 할 때에는 질문을 해야 하고 싸워야 하고 일을 하면서도 계속해서 얘기를 해야 합니다. 무진형제가 수다스럽거나 말이 많은 편이 아닌데 노동할 땐 아무 말 않는 게 정말 힘듭니다. 사실 작업할 때 계속해서 이야기해도 힘들지 않잖아요. 그런데 작업 때 했던 말들을 녹음해서 들어보면 어느 순간 자의식이 팽배해지고 있다는 위험 신호를 감지할 때가 있습니다. 자기 고집과 세상에 대한 두려움 혹은 망상이 극심해지죠. 이럴 때 노동으로서의 일이 필요합니다.

이 작품은 노동에 관한 묵직한 질문을 동반하지만 한편으로는 한 개인의 구체적인 삶을 향한 애정이 느껴집니다.

그런 지점들을 청소 노동자의 방에서 느꼈어요. 굉장히 허름하고 낡아서 비관적으로 보이기도 했는데 또 한편으로는 마른 장미 꽃다발로 공간을 꾸며 놓으셨더라고요. 아주머니의 쉼터인 침대 위에 달력이 있고 바구니에 수놓은 태극기도 있었고요. 그곳은 지하인데 지상에 있는 공간과 똑같은 구조로 이루어져 있습니다. 노동과 환경에 대한 이야기일 수도 있는데 노동을 하며 살아가는 우리의 이야기로 이어질 수밖에 없다고 생각해요. 일을 하다 보면 반복적이고 획일적인 일만 하는 것처럼 보이는 노동자의 신체가 실은 굉장히 다채롭고 복잡한 삶의 결들을 지나쳐왔다는 걸 알게 되는 순간이 옵니다. 결구의 등장인물이 사고를 당해 다친 몸을 이끌고 지하의 공간을 따라가다 보면 청소하시는 아주머니가 일하시는 공간이 나오게 돼요. 그때 결구의 주인공이 마른 장미와 허름한 밥솥, 그리고 바구니에 수놓은 태극기를 보고 있는데요. 다소 허름하고 차가운 노동 현장에서 유일하게 그곳에서 일하는 분들의 삶에 관해 유추해 볼 수 있는 오브제들입니다. 저희가 전혀 의도하지 않은 실제 청소 아주머니들의 물건이기도 하고요. 촬영하며 그 오브제들을 통해 아주머니들의 삶의 모습이나 일터에서의 감정 등이 조금이나마 전달되는 것 같은 느낌이 들었습니다.

저희는 항상 눈앞에 거슬리는 돌맹이에 대해 얘기합니다. 물론 돌맹이와 그것이 놓인 자리는 우리 사회에 대한 비유입니다. 돌멩이는 너무 거슬리고 보지 않으려 해도 보이고 듣지 않으려 해도 들리는 존재입니다. 그렇다고 무작정 없애자고 하는 건 아니죠. 저희는 그 돌멩이로 인해 생성

작업을 통해 견고한 시스템과 사회 규범에 종속된 삶에 질문을 던지고 계신데요, 작품이

〈결구〉
주인공 'M'이 청소 노동자의 방에 앉아 있는 모습

되는 느낌과 모순을 작품으로 만들어서 이를 세상 사람들에게 제시합니다. 그래서 관람객들과 저희가 사유하고 상상했던 결과물을 공유한다는 것만을 전제하며 작업하고 있습니다. 눈앞의 돌멩이는 지금 당장 어떤 식으로든 제가 발 딛고 선 곳에 있는 것입니다. 우린 그것에 대해 얘기할 수밖에 없고요. 하지만 그것이 없어질지 아니면 계속될지의 문제는 아직 오지 않은 문제이기에 거기서부터는 관객들이 받아들이고 생각하고 상상하거나 혹은 실천해야만 풀어나갈 수 있는 문제라고 봅니다.

사회 혹은 관객의 삶과 어떻게 만날 수 있다고 생각하세요?

〈궤적〉 프로젝트에서는 시공간을 초월해서 우리 사회에 공존하는 보편적인 지점을 찾고자 하는 열망이 느껴졌어요. 이렇게 과거와 현재를 잇는 작업을 전개하면서 새롭게 발견되는 지점은 무엇이 있었나요?

〈궤적〉(2017) 프로젝트는 동시대의 보편, 혹은 동시대인들의 믿음 체계와 신념으로부터 벗어나고자 시작했던 작업입니다. 가령 〈좋은 세상〉은 '장미 대선' 때 개표장에서 촬영한 작업인데요. 시민의 힘에 의해 대통령이 탄핵될 만큼의 사건이 벌어졌음에도 각자의 정치적인 견해차와 지지하는 정당의 이름과 색깔 외에 달라진 게 무엇이냐는 저희 나름의 문제의식으로부터 시작되었습니다. 혁명 뒤의 정치에서 시민들 각자가 어떤 세상을 꿈꾸고 욕망하고 있는지에 대한 이야기만 빠져 있는 것 같았거든요. 그럴 때 고전 텍스트와 이미지로부터 우리는 어떤 실마리를 찾을 수 있을지 고민했고, 프리드리히 횔덜린(Friedrich Hölderlin)의 시를 보며 한 인간이 꿈꾸는 정치적인 이상 세계가 이런 게 아닐까 생각하게 되었습니다. 지금 우리는 그 꿈을 각자에게 주어진 획일적인 투표용지 하나로 표현할 수밖에 없지만, 개표장을 나온 순간 시시각각으로 변화하고 경계 없는 다양한 세계가 바로 눈앞에 펼쳐지고 있다는 걸 알 수 있었습니다. 혁명 이후 첫 대선 투표를 마친 그날, 몇천만의 유권자들마다 다 다른 풍경 속에 각자의 바람과 상상하던 세계를 녹여냈을 것 같았거든요. 그걸 생각하니 우리 사회 시스템을 작동시키고 있는 정치라는 것이 참 작고 비좁게 느껴졌습니다. 고전 작품은 동시대의 비좁은 틀 안에 갇힌 우리의 생각과 감각의 지평을 넓혀줍니다. 미래는 아직 오지 않아 우리가 어떻게 인용할 수 없겠지만, 과거의 흔적들은 곳곳에 남아 있죠.

무진형제의 작품이 현실에 기반하지만 시공간의 확장성이 느껴지는 이유도 같은 맥락일까요?

저희의 작업은 다소 비현실적인 공간을 담아낼 때조차 실은 바로 여기, 우리가 숨 쉬고 생활하며 작업하는 공간으로부터 벗어나지 않습니다. 심지어 〈노인은 사자 꿈을 꾸고 있었다 2〉의 영상이 우주의 이미지로 변화할 때조차 그건 이 지상의 것, 〈노인은 사자 꿈을 꾸고 있었다 2〉에서 누군가 깎고 파낸 이 땅 위의 재료로부터 만들어지죠. 저희의 시공간에 대한 생각은 〈노인은 사자 꿈을 꾸고 있었다 1〉에 가장 잘 담겨 있는데요. 그 영상을 작업하는 내내 저희에게 노인의 삶이 매우 신화적으로 다가왔습니다. 그는 한 세기 가까운 시간을 한곳에서 지내며 스스로 집을 짓고 살았습니다. 그가 살았던 마을은 호수였던 곳이 논과 밭이 되었고, 일꾼들로 가득했던 대나무밭은 무덤과 뱀만 남아 있습니다. 그러한 변화 속에서 빠르고 거칠게 흘러가던 노인의 삶이 매우 느린 속도로 흐르고 있었습니다. 무진형제 작업에서 아무런 장치나 설치 작업이 없이 다큐멘터리처럼 찍은 작업은 〈노인은 사자 꿈을 꾸고 있었다 1〉이었는데요. 오히려 그 현실적인 공간에서 인간과 땅에 대한 온갖 기이한 이야기를 들을 수 있었고,

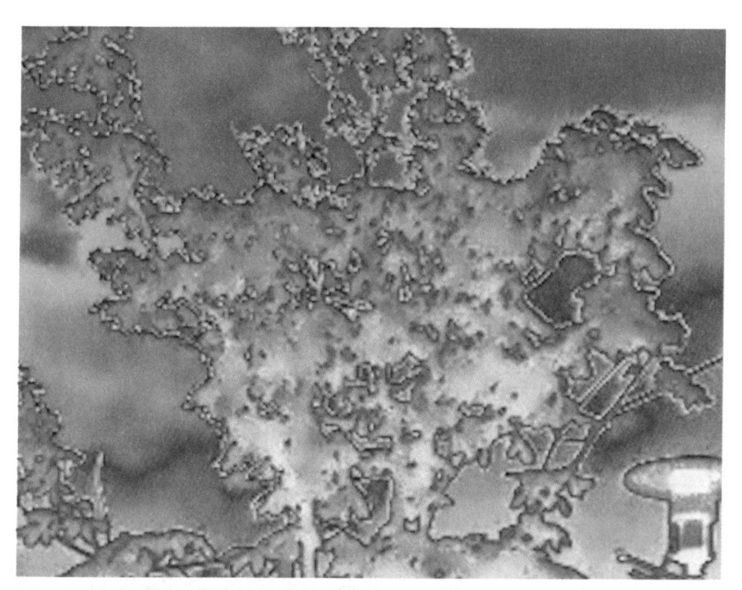

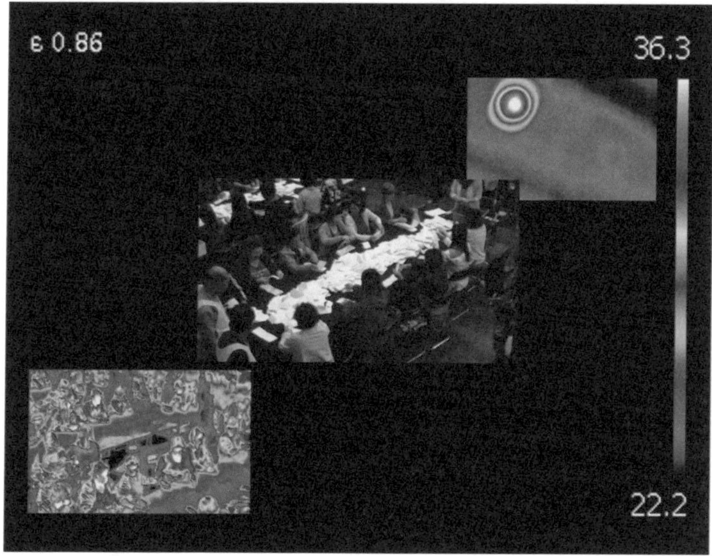

〈궤적_좋은 세상〉(2017)
'장미 대선' 개표 과정을 열화상 카메라로 촬영한 작품의 장면 중 일부

노인의 잠꼬대 소리를 배경으로 그 어느 때보다 많은 상상을 할 수 있었습니다. 처음엔 노인만 늙어 있다고 생각했는데, 그가 지은 집 또한 함께 허물어져 가고 있었죠. 가족들은 사진으로만 남아 노인의 침실을 둘러싸고 있고, 여러 개의 밥상은 허름한 벽에 걸린 채 먼지만 쌓여 있죠. 갑자기 사람들이 모두 사라진 후 떠도는 이야기와 노인의 잠꼬대 소리, 그리고 수많은 부재만이 남아 있었습니다. 〈풍경(風經)〉에서도 그렇지만 저희는 이 실재하는 땅 위의 공간 어디서든 신화와 상상, 그리고 온갖 미스터리한 것들이 함께 존재하고 작동한다고 믿고 있습니다. 〈여름으로 가는 문〉에서 소년이 줄넘기하는 공간 또한 마찬가지죠. 그가 매일같이 4,000개씩 줄넘기를 하는 공간, 청소년기 소년의 열기로 가득한 그 공간으로부터 느낀 감각은 뜨거운 여름 날씨를 닮아 있었고, 느닷없이 출연한 늙은 사마귀는 모든 생명체가 겪어야만 하는 생장수장(生長收藏)의 과정, 즉 우주의 원리를 일깨워 주었습니다. 청년기의 뜨거운 열기와 노년기의 느리고 서늘한 기운이 함께 존재한다는 것, 〈노인은 사자 꿈을 꾸고 있었다 2〉에서도 저희는 단순히 3대로 이어지는 이야기가 아니라 전혀 다른 삶의 방식이 동시대에 공존하고 있는 그 기이한 삶의 단면들을 얘기하고 싶었습니다.

실질적인 제작에 있어서 세 명이 작업을 함께 만들면서 협력할 때 중요하게 생각하는 부분 혹은 원칙

저희는 작업 속도가 느린 편이에요. 그 이유 중 하나가 한 명이라도 동의를 하지 않으면 일을 진행하지 않기 때문인데요, 이런 경우도 있었어요. 너무 재미있고 신기한 소리가 만들어져도 영상에 안 맞는 것 같다 싶으면 무조건 배제하고 가기도 합니다.

세 명의 공통 감각이 있는 것 같기도 한데요. 사실 저희 셋은 비슷하면서도 매우 다른 것

같은 것이 있나요?

들에 관심이 있고, 감각의 지점도 미묘하게 다르거든요. 그럼에도 작업 중 서로가 어떤 이미지나 사운드를 발견해 낼 때 셋이서 동시에 감탄할 때가 있어요. 그건 토론과 설득에 의해서 발견되는 게 아니라 그냥 어느 순간 셋의 감각이 일치하는 순간입니다. 작업을 구상할 때는 끊임없이 얘기하고 설득하는 과정 속에서 무언가가 만들어지지만, 작업 도중에는 이러한 공통의 감각, 혹은 3인의 순간적인 공감이 있어야 작업이 그다음으로 이어지고 진행되는 것 같습니다. 그럼에도 각자 끝까지 인정할 수 없는 부분이 있어요. 그럴 땐 깔끔하게 상대의 의견을 인정하고 과감히 포기하기도 하고 계속 설득하고 많이 싸우기도 하고요. 신기한 건 그때는 아니다 싶어서 포기했는데, 나중에 셋 다 그게 옳다고 생각해 갑자기 채택될 때가 있습니다. 그러니 계속 얘기하고 또 얘기할 수밖에 없는 것 같습니다.

코로나 이후 우리의 삶의 방식에 많은 변화가 있었어요. 무진형제가 앞으로 주목하고 있는 주제와 작업 방향이 궁금합니다.

코로나 이후 자가 격리로 인해 주로 집에서 생활하다 보니 무진형제 내부에서 동시대와 세계에 대해 많은 이야기가 오고 갔습니다. 사실 막연한 이야기였죠. 격리와 방역 외에 개인이 코로나 팬데믹으로 인해 변화된 세계를 다채롭게 경험하기엔 다소 무리가 있었으니까요. 그러나 또 한편으로는 제한된 환경 속에서 현실을 대체하기 위한 가상의 경험이 다양한 방식으로 생겨나고 있습니다. 이미 몇 년 전부터 생겨나고 발전하고 있는 디지털을 활용한 기술들이요. 앞으로 다가올 뉴노멀 또한 이러한 기술들과 함께 진행되겠죠. 아직 새로운 작업의 주제는 아니지만, 앞으로 새로운 삶의 재구축이 어떠한 이미지와 감각으로 다가올지 저희도 궁금합니다. 아직 이게 작업으로 어떻게 이어질지 모르겠지만요.

김희천

김희천은 디지털 기술에 따라 급변하는 현시대의 양상을 다루는 영상 작가다. 그는 불안정하게 부유하는 현실의 시공간을 횡단하며 데이터베이스로 전도되는 정보, 가상 공간이 물리적 환경을 넘어서는 변화의 양상을 추적하고 이를 중첩된 서사로 풀어낸다.

바벨 3부작으로도 알려진 〈바벨〉(2015) , 〈Soulseek/Pegging/Air-twerking〉(2015), 〈랠리〉(2015)를 통해 스크린으로 매개되는 납작한 현실 세계를 자전적 내러티브를 통해 선보이며 미술계 안팎에 큰 반향을 일으킨 그는 2010년대에 젊은 예술가를 주축으로 형성된 새로운 미술 흐름을 타고 청년 세대들의 공감과 큰 주목을 받으며 디지털 세대를 대표하는 미술 작가로 자리매김하였다.

작가는 구글맵, 비디오게임, VR, 페이스 스와프(Face Swap), 3D 모델링 등 디지털 툴을 매개로 현실을 투사하며 몰입과 거리두기의 운동 속에서 실제의 작동 방식을 탐색하고, 그 안에서 발생하는 신체의 충동과 기술의 간극을 파편적 이미지의 조합을 통해 그려낸다. 광화문 일대를 무대로 온라인 환경이 일으킨 유실된 감각을 빠른 속도로 펼쳐 보이는 〈썰매〉(2016)나 감각 차단 탱크를 통해 현시대의 신체적 징후를 비춰보는 〈탱크〉(2019)는 그의 작업이 디지털 기술이 초래한 현상을 다루는 데 그치지 않고 오늘날 현실을 진단하는 지침으로 기능하고 있음을 보여준다.

그의 작업은 미래의 풍경을 속단하는 대신 삶 깊숙이 침투한 환영적 세계에 의구심을 품고 기술 발달이 야기한 시대의 시차를 가늠한다. 2015년 첫 개인전 『랠리』를 선보인 이래 그는 일민미술관에서 개최된 『뉴스킨 : 본뜨고 연결하기』(2015)를 비롯하여

『SeMA 비엔날레 미디어시티 서울』(2016), 백남준아트센터 『현재의 가장자리』(2018), 『제12회 광주비엔날레 : 상상된 경계들』(2018) 등 국내외 다수의 단체전과 스크리닝을 거치며 탄탄한 필모그래피를 쌓았으며 최근 아트선재센터에서 개인전 『탱크』(2019)를 개최한 이후 활발한 작품 활동을 펼치고 있다.

스스로 설계한 가설 장치를 통해 현기증을 일으키는 현재의 풍경을 조망하는 작가는 레이어를 중첩할수록 선명해지는 현실의 민낯을 통해 반문한다. 상상하는 미래와 상실된 감각의 어긋난 균열이 이미 이곳을 가리키고 있지 않느냐고.

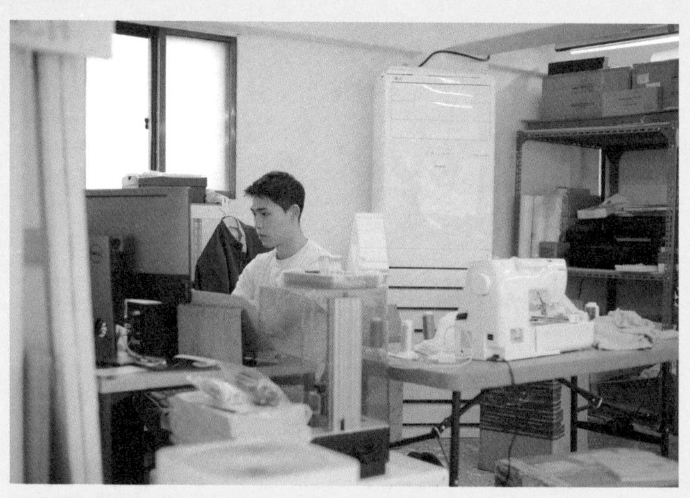

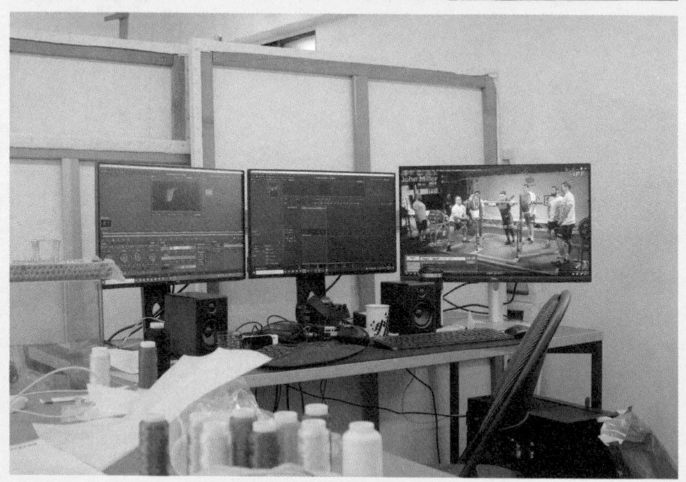
John Miller

건축을 전공하셨는데 미술 작가가 되셨어요. 영상 작업의 계기가 있었나요?

이미지에 대한 흥미는 원래부터 있었어요. 어릴 때로 거슬러 올라가는 특별한 기억이 있다기보다는 그냥 제 또래처럼 자라면서 영화나 TV를 익숙하게 접한 세대로서 생겨난 자연스러운 관심이었어요. 도리어 영상 작업을 하게 된 계기는 아르헨티나에서의 경험이라고 할 수 있겠습니다. 제가 2012년에 아르헨티나에서 살았었는데 미술하는 친구들이 잘 놀겠다 싶어서 여기저기서 소개받아 젊은 작가 무리들과 어울려 다녔어요. 그 시기에 아르헨티나 렌트 비용이 굉장히 저렴해서 건물 하나를 작가 다섯 명이 빌린 다음에 공용 스튜디오 겸 갤러리로 운영하는 친구들이 많았거든요. 그 전시 중에 기억에 남는 게 많지는 않지만 누가 뭔가 한다고 하면 다 같이 모여서 놀았던 경험이 즐거웠어요.

2013년에 한국에 돌아와서 한국에도 그런 공간이 있지 않을까 싶어 찾던 와중에 '반지하'[1]라는 곳을 발견했어요. 상봉동에 있던 공간이었는데 거기서 처음 본 게 강정석 작가의 프로젝트였어요. 공간에 한편에 책상이 있고, 거기 작가가 앉아서 당시의 뉴스 문구들이 적힌 부메랑을 잔뜩 만들고 있었습니다.[2] 강정석 씨는 '비디오 릴레이 탄산'[3]이라는 행사를 열던 분이기도 합니다. 본인도 영상 작업을 하는 작가인데, 영상 작가들은 대부분 자신이 만든 작업은 쌓여가는데 틀 곳은 없다는 사정을 알고 있으니 상영회를 만들어서 매년 개최하곤 하시더라고요. 초대된 작가들이 다

1. '반지하'는 2012년 여름부터 서울시 중랑구 상봉동에서 시작된 현대시각예술인을 위한 '오픈베타공간'으로, 미술대학을 졸업한 관리자가 작업을 진행할 실질적인 공간이 없는 상황에서 고심 끝에 탄생한 곳이다.

2. '캐치포인트' https://vanziha.tumblr.com/post/64848459754

음 작가를 지목하는 릴레이 형식의 상영 행사였어요.[4] 행사 장소는 굉장히 유동적이었어요. 지원을 받을 수 있을 때는 전시장 같은 곳에서 하고, 야외든 실내든 상황에 따라 바뀌었는데요. 제가 2013년에 그 행사를 한번 갔었어요. 당시만 해도 저는 미술에서의 '영상 작업'이라는 것이 추상적이고 어렵다고 생각했는데 제 또래 작가들이 한 작업을 보니까 생각보다 재미있고, 이 사람들이 하는 얘기가 뭔지 이해가 가는 거예요. 그래서 내가 봤던 작품 중 재미없다고 느낀 건 어쩌면 내가 몰라서 그랬던 것도 있겠지만 그 작품이 별로였을 수도 있겠다, 라는 생각이 든 거죠. 그때 영상 작업을 한다는 게 뭔지 어렴풋이 알 것 같았어요. 이 행사의 특별했던 점은 상영 후에 이루어진 토크와 레퍼런스 상영이었어요. 토크는 작업의 의미보다는 '왜 이런 작업을 하는지'에 더 초점을 맞추더라고요. 그들의 제작 과정을 듣다 보니 '영상 작업'이라는 게 난해한 무언가를 만드는 게 아니라는 것을 깨달았어요. 레퍼런스 상영은 작가가 영상 작업을 하며 참고로 삼았던 영상을 모아서 보여줘요. 그중에는 저도 흥미롭게 본 것도 있어서 또래 작가들이 비슷한 장 안에서 무언가를 공유하는구나 싶더라고요.

그래서 2014년에 반지하라는 공간에서 영화를 좋아하던 친구와 이야기를 나누다가 '우리가 뭔가를 만들어본 경험은 없었지만 해보자, 뭐가 될지는 모르겠지만 프로젝트를 하나 해보자'라고 하는 과정에서 만든 작업이 〈바벨〉이었어요. 프로젝트의 구조상 제작하는 영상이 반드시 진지한 '작품'일 필요는 없고

3. '비디오 릴레이 탄산'은 신진 작가들이 주체가 되어 서로의 작업을 소개하고 창작의 에너지를 발포시키기 위한 비디오 스크리닝 프로그램이다.

4. 강정석 작가의 인터뷰에 따르면 "당시에 마침, 2012년이었는데, 독립영화 진영에서 독립영화 관련한 릴레이 수다 프로그램이 있었어요. 그 프로그램이 자기가 만나고 싶은 독립영화 감독을 초청해서 영화도 같이 보고 토크도 하고 이런 프로그램이었는데 그것이 너무 좋"았기 때문에 이 형식을 취했다고 한다. http://57studio.net/film/index.php/taansan/-film/

뭔가 단순히 보는 이로 하여금 질문을 촉발할 수만 있으면 됐어요. 예를 들어, 영화제를 가면 GV라고 감독과 관객이 대화를 나누는 시간이 있잖아요. 그런데 그 시간이 사실 조금 엉망일 때가 많잖아요. 사람들이 영화를 열심히 보고 자기 얘기를 하고 싶어 하는 마음이 커서 그 시간이 대화라기보다 자기 표출을 하는 상황이 되는 거예요. 이걸 조금 더 과장해 보자는 취지로 빙고 게임을 만들었어요. 관객들이 우리가 만든 두 작품을 보면서 빙고판에다가 감독이 할 법한 얘기를 미리 적는 거예요. 예를 들면 〈바벨〉(2015)에서 제일 많이 나왔던 건 '스페인어'였어요. 작가가 분명 이 단어를 언급할 것이다, 라고 예측하는 거죠. 그리고 그 단어를 이야기하도록 작가에게 유도 질문을 하는 식이었어요. 그렇게 기획을 한 건데 당시에 아버지가 돌아가신 지 얼마 지나지 않은 상태였는데, 마음을 추스를 시간도 없이 학교 졸업 프로젝트 때문에 너무 바빴었고, 그러다 보니 뭔가 하고 싶은 얘기가 좀 쌓여 있었나 봐요. 결과적으로는 제 생각과 고민이 중첩된 조금은 진중한 이야기로 작업이 나왔어요.

〈바벨〉 작업을 만들 때 영향을 준 작품이 있나요?

'반지하' 작업을 함께 논의했던 친구가 전주국제영화제에 가서 호세 루이스 게린(José Luis Guerín)과 요나스 메카스(Jonas Mekas)가 영상으로 서신 교환을 한 영화 〈서신교환: 메카스-게린〉(2011)을 봤는데 너무 좋았다고 하더라고요. 저도 나중에 찾아서 재미있게 봤습니다. 〈바벨〉을 만드는 과정에서 '이야기를 어떻게 전달할 것인가?'라는 질문과 처음 맞닥뜨렸고, 그 형식을 차용했어요. 서신이라는 형식에서 이미지와 이야기가 정확하게 들어맞지 않더라도 영상 작업으로 만들 수 있는 가능성을 본 거죠. 그렇지만 작업을 하면서는 기본적인 구조를 만들긴 했어요. 기승전결처럼 4개의 장으로 나누고 마지막은 조금은 희망차면 좋겠다고 생각했었어요.

기본적인 구조는 어떻게 만드셨나요?

건축과에서 작업할 때 다이어그램 같은 걸 많이 그렸어요. 지금도 저는 그 과정을 거치는데요. 건물의 형태를 도출할 수 있는 다이어그램일 수도 있고, 내부의 프로그램을 배치한 다이어그램 같은 것을 많이 그리다 보니 어떤 구조를 만들어야겠다고 생각했어요. 제가 긴 흐름의 이야기를 만들어본 경험이 별로 없으니까 장을 구분해서 갑자기 딴 얘기를 해도 괜찮게 하려고 혼자 머리를 쓴 거예요. 글로 먼저 정리를 한 건 아니고 이런 구조와 느낌만 가지고 작업에 들어갔죠. 예를 들면, 처음에는 촬영한 장면들이 많이 나왔으면 좋겠고, 두 번째는 컴퓨터 화

디지털 데이터로 매개된 현실의 단면을 포착하는 〈바벨〉(2015)

면에 촬영한 걸 섞고, 세 번째는 그냥 촬영한 거랑 3D가 나오면 좋겠고, 네 번째는 촬영 소스가 많이 나오되 3D와 음악이 사용되면 좋겠다 정도인 거죠. 아르헨티나에서 알던 친구가 만든 음악이 있었는데 '이건 엔딩크레디트용이다'라는 느낌이 들어서 미리 친구에게 허락을 받아두고 생각하는 거죠.

작가의 메시지를 정하고 시작했다기보다 큰 방향성과 논리의 공간만 만들어놓고 시작한 거네요?

그렇죠. 당시에는 제가 뭘 하는지 모르고 만든 것 같아요. 첫 작업이었으니까요. 이걸 영화라고 본다면 제가 봐온 영화가 많으니까 비슷하게 그 문법을 따라했을 텐데 그저 〈서신교환: 메카스-게린〉에서 느낀 어떤 아름다운 뭔가를 해봐야지, 나머지는 어찌 될지 모르겠다 생각했어요. 작업을 꾸준히 하면서 제가 느끼는 부분은요, 작가가 뭐가 될지 알고 무슨 얘기를 할지 정확하게 정해놓고 작업을 하면 관객들이 그걸 너무 잘 간파해서 재미가 없어진다는 거예요. 관객이 '작가는 본인이 뭘 만들었는지 모르지만 나는 이렇게 생각해'라고 얘기할 수 있는 방향이 좋은 것 같아요. 너무 다 알아버리면 관객이 내가 느끼는 게 맞는지를 확인해야 하는 입장이 되어 버리잖아요. 다른 작업들도 작가가 다 알고 만든 것 같은 작품들을 보면 저는 약간 괴롭더라고요. 왜냐하면 작가 입장에서도 작품을 만들면서 자기가 부여한 숙제를 해치우듯이, 계획한 것들을 다 채워야 하니까요, 그런 부담감이 느껴져요.

작품을 공개하고 반응이 뜨거웠어요.

〈바벨〉을 공개했던 시기가 좀 이상했어요. '반지하'라는 곳에서 프로젝트를 하기로 했는데 알고 보니 그 시기에 이미 서울 곳곳에 다양한 조그마한 미술 공간들이 되게 많았더라고요. 공간들이 자립적으로 생겨나고 젊은 작가들의 작업과 프로젝트가 가시화되는 흐름이 형성되고 있었어요. 그다음 해 초에 제가 〈바벨〉을 발표하게 된 거예요. 그러니까 사람들이 새로운 작업들에 관심을 가지고 얘기할 준비가 되어 있을 때였던 거죠. 무엇보다 또래들의 반응이 좋아서 기뻤었죠. 반응 중에 가장 좋았던 건 강정석 씨 말이었는데, "사람들이 이런 작업을 기다렸던 것 같아"라고 얘기해 주더라구요. 이런 작업을 누군가 해주길 기다렸는데 그걸 제가 해서 기분이 좋았다고 말해줬어요.

강정석 작가가 말한 '이런 작업'은 무엇을 뜻하는 걸까요?

아마도 기술 환경에 대해 다루는데 사람들이 그 이야기에 연결되고 쉽게 접속할 수 있는 여지가 많은 작업을 했다는 뜻 아닐까요? 해외에서는 기술 때문에 우리가 처한 상황에 대한 작업들이 꽤 있었던 것 같아요. 제가 서울이라는 도시를 전면적으로 드러내면서 그 속에 개인적인 이야기도 포함한다는 지점을 사람들이 흥미롭게 보았던 것 같아요. 게다가 저는 시각 작업을 해오던 사람이 아니었다는 것도 신선했을 것 같고요.

전반적으로 작품에서 내레이션이 중요한 비중을 차지하는데 이미지와 텍스트를 어떻게 다루고 계신가요?

저는 보통 이미지나 텍스트를 동시에 작업하기는 하는데요, 어떤 건 하나의 글귀에서 출발하기도 해요. 예를 들어, 어느 날 TV에서 강아지 수명을 인간의 나이에 적용해서 수치로 이야기를 하는 거예요. 그 문장을 듣고 삶의 속도에 대한 고민을 풀어보고 싶어서 〈멈블〉(2017)이라는 작업을 시작한다든지 그런 식이에요.

물론 대단한 계획이 있는 건 아니지만 뭔가 그럴싸해 보이는 시놉시스나 진짜 글부터 시작

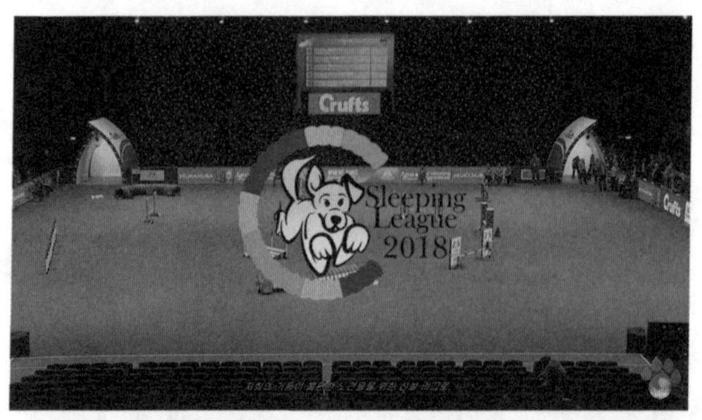

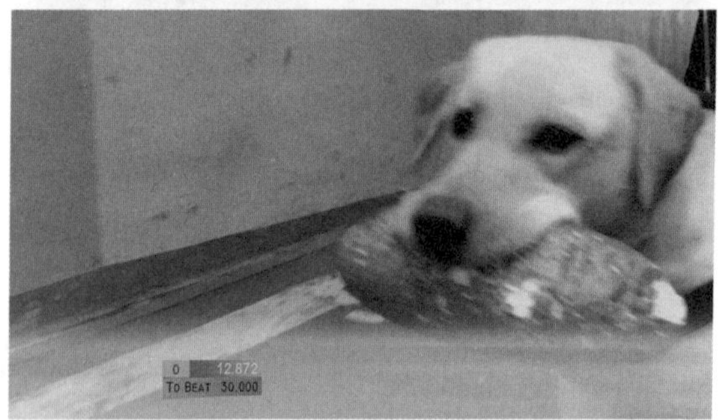

〈멈블〉(2017)
가상과 물리적 시공간의 중첩된 관계를 매핑 기법으로 추적한다.

한 경우도 없지는 않아요. 내레이션 비중이 적은 작업이라서 어쩌면 뜻밖으로 느끼실 수도 있는데 〈메셔〉(2018)라는 작업은 글이 제일 먼저 나왔고, 배우에게 연기를 시킨 경우예요. 제게 주어진 큰 숙제가 내레이션을 하지 않고 작업을 하는 거였어요. 초기작부터 스페인어 내레이션을 쓴 이유들 중 가장 단순하게는 한국어를 잘 표현하기가 어렵기 때문이라는 것도 있었어요. 모국어는 자기도 모르게 독백에 가까운 내레이션에 감정이 드러나기가 쉬운 거예요. 자칫하면 너무 느끼하고 아니면 담백한 척 연기를 하게 되는데 제가 연기를 균형 있게 조절하기가 어렵고, 그 어색함이 드러나게 되는 거죠. 〈바벨〉을 작업할 때만 해도 한국 사람들이 주로 볼 거라고 생각했기 때문에 관객들이 스페인어의 감정 톤을 잡아내기 어려울 거라 예상했어요. 그래서 한국어를 피해서 작업을 하는 어떤 요령을 선택한 거죠. 때문에 제게 한국어를 사용해 보고 연출도 해봐야 한다는 스스로 풀어야 할 과제가 있어서 〈메셔〉 작업에서 한국어로 배우가 연기를 하는 연출을 시도해 봤어요. 자연스럽게 친구끼리 장난치면서 실험을 하는 듯한 분위기를 만들어냈는데 그랬더니 여전히 사람들이 그 배우를 제 친구처럼 생각하더라고요. 실은 일부러 이게 연출이라는 걸 대놓고 드러내기도 했었어요. 자세히 보면 두 핸드폰 화면이 겹칠 때 배우가 화면으로 대본을 보는 부분도 있어요. 갑자기 글씨가 떠 있는 게 보이는 장면이 있는데 일부러 이건 미술이니까 작업 구조상 연기처럼 보이든 아니든 상관없다는 생각으로 진행했죠. 그래서 〈메셔〉는 대본이 필요하기도 해서 텍스트가 의외로 먼저 나온 작업이었어요.

작가의 얼굴을 작품에 자주

제가 자주 등장하는 건 사실이에요. 그렇지만 그것도 시작은 내레이션을 하는 것과 비슷한 맥락이에요. 사람이 등장하는 장면을 리얼하게 보이

등장시키는 건 부담스럽지 않으세요?

도록 통제하는 게 너무 어려운 거예요. 초기에는 얼굴을 가려도 되는 장면이기도 해서 제 얼굴을 좀 써도 되겠지, 라고 생각하고 편하게 작업했었어요.

한편으로는 제가 팀 작업을 잘 못하는 편이에요. 촬영할 때는 괜찮은 것 같았는데 편집하려고 보면 이상한 거예요. 그럴 때 수정하기 어렵잖아요. 그런데 이게 제 얼굴이고, 제 목소리이면 될 때까지 밤새 똑같은 걸 녹음할 수도 있는 거죠. 게다가 누군가에게 설명할 필요 없이 머릿속에 떠오른 생각들을 바로바로 제가 이렇게 저렇게 시도해 볼 수 있는 거예요. 그래서 당시에는 연기 연출은 벅차다고 생각이 돼서 제 얼굴에 뭔가 씌우는 형태나 얼굴 이미지를 변형시키는 방식으로 표현을 했었어요. 제 얼굴을 기술의 매개로 변형시키는 이유는 이 기술이 작동되는 바탕에 사회를 읽을 수 있는 어떤 도구가 있다고 생각하기 때문이에요. 예를 들어 〈탱크〉라는 작업에서 제가 성형 앱 같은 걸로 화장을 하고 나타나기도 하거든요. 제가 멕시코 친구와 사진을 찍으면 제 얼굴이 창백하고 핼쑥하게 나오는 거예요. 보통 셀카를 찍으면 더 예쁘게 나오고 자신이 좋아하는 얼굴이 나오고, 남이 찍으면 되게 객관적이라 보기 싫을 때가 있잖아요. 그런데 그걸 감안하더라도 그 친구가 찍은 사진은 유독 이상한 거예요. 알고 보니 그 친구가 한국에서 유행하는 성형 필터 앱을 쓰고 있었던 거죠. 이미 약간 보정이 된 상태에서 사진을 찍으니까 그 친구가 사진을 찍으면 전 너무 갸름하고 핏기가 없게 나오는데 그 친구는 그 보정값이 마음에 들었나 봐요. 그런데 저도 내내 이상하다만 싶지, 이게 내 얼굴인지 성형 앱을 쓴 건지 구분하지 못하겠는 거죠. 이게 실은 진짜 내 얼굴이 변형되는 게 아니라 영상이라는 픽셀을 옮겨가지고 늘리거나 좁히거나 어떤 색을 조금 보정하는 식으로 작동하는 거잖아요. 도대체 어디까지를 내가 나라고 부를 수 있을까, 거울을 보고 있는 내가 진짜 더 나 같을까? 혹은 뭔가 보정된 게 더 나 같을까? 이런 고민이 들었어요.

얼굴을 변형시키는 작업은 반응이 좋고 나쁘고를 떠나서 결과적으로 재미있었어요. 관객들 중에는 성형 앱을 사용한 장면을 그 전 작업 〈썰매〉와 동일하게 페이스 스와프라고 생각하신 분도 계셨고요. '진짜 인물의 얼굴인 거 같은데 뭔가 어색하다, 뭐지, 페이스 스와프인가 보다'라는 반응인 거죠. 그걸 꼭 알아야 되는 건 아니지만 이미지를 보면 한 번에 기술적으로 뭔가 잘못된 걸 알아차리시더라고요. 일련의 작업을 하면서 기술 환경 안에서 내가 어떻게 나 자신이 될 수 있는가에 대해서 항상 궁금했기 때문에 그럴 때 관객들에게 직접적으로 주제를 전달하기보다 이런 이미지의 형상화를 통해서 질문을 던지고 싶었어요.

데이터를 매개로 재구성된 신체성을 탐색하는 〈탱크〉(2019)

'기술 환경 속에서 나란 무엇인가'라는 질문을 작가님의 작품 전반을 통과하는 주제라고 봐도 될까요?

기술 환경이 어떻게 이 세계의 작동 방식을 변화시키고 있냐는 것이죠. 그로 인해 그 세계에 살고 있는 우리 주체들에게 일어나는 변화는 무엇이고, 그 작동 기제는 어떻고 이런 것들에 대한 질문을 작업을 통해 하고 있어요. 물론, 작업을 하면서 생각이 바뀌는 것도 있기 때문에 약간의 변화는 있어요. 누군가 나중에 내 작업에 대해서 세밀하게 연구를 한다면 골치 아플 수도 있는 게 이 작업에서 한 얘기랑 다른 작업에서 한 얘기가 충돌할 때가 많거든요. 하지만 작업마다 그 순간의 제 생각을 충실히 표현한 거였어요.

바벨 3부작(〈바벨〉, 〈Soulseek/Pegging/Air-twerking〉, 〈랠리〉)을 만들면서 제가 구축했던 세계는 '내가 어디에서 살고 있는지, 내 위치가 헷갈린다'는 거였어요. 첫 번째 작품은 모니터 앞에서 항상 학교 과제를 하고, 집 밖을 나가서 서울을 보면 사람들이 다 모니터 앞에서 모니터만 보고 있고, 또 아버지가 돌아가신 마지막 순간도 모니터를 통해서만 상상할 수 있다는 지점이 있어요. 이때는 저한테 모니터밖에 없다는 생각이 들었거든요. 당시 제게 있던 큰일 중에 하나가 졸업이었기 때문에 도시를 모니터로 바라보는 게 더 정확하게 느껴지던 시기였어요. 계속 모니터만 보다 보니까 '내가 하고 있는 게 뭐지?'라는 생각이 자연스럽게 들었고요. 근데 아버지가 돌아가신 기록도 계속 들여다보다 보니 '나 뭐 하는 거지?' 그런 생각이 들었어요. 그러고 나서 지하철을 타는데 사람들이 모두 핸드폰만 보고 있는 걸 목격하면서 그 사람들이 각자의 세계 안에서만 있는 기분인 거예요. '뭐지, 이게 무슨 일이지?'라는 생각을 되게 많이 했어요.

두 번째 작품은 내가 모니터 앞에밖에 있을 수 없는가 싫어서 모니터 안으로 들어가고 싶은 마음으로 만들었고요. 세 번째는 모니터 앞을 떠나고 싶은 마음에서 만들었어요. 그래서 바벨 3부작은 도리어 저와 이 세계와 스크린(모니터) 위치가 어떤 관계에 놓여 있는지를 생각했었어요. 그럴 때 질문은 '이 세계 속에서 나는 무엇이고, 나는 어디 있는가'라는 질문이니 비슷한 맥락 속에서 변주가 계속 조금씩 일어나 있는 거죠.

〈탱크〉는 어떤 생각이 작품으로 구체화된 것인가요?

제가 수족관에 되게 관심이 많아요. 수족관을 설계해 보면 재밌을 것 같다고 생각해 왔어요. 수족관이라는 것이 바다에 있는 걸 떼어가지고 어떤 단면을 만들어서 구경하는 건축물인 거잖아요. 내부에 관람하는 동선을 구성하고, 수족관 표면을 만드는 작업이 흥미롭게 느껴졌어요. 실제로 수족관 가 보면 되게 영화관 같기도 하잖아요. 영화관처럼 거대한 수조 앞에 사람들이 있고 거기서 나오는 빛 때문에 사람들이 푸르게 보이고요. 이 작업에는 안 나오는 부분이지만, 수족관이라는 게 어떤 삶이나 어떤 생명의 영역을 떼 오는 거잖아요. 그걸 우리가 지켜보고 관람을 하는 행위가 제가 느꼈을 때 기술이 제 삶을 포착하는 방식과 조금 비슷한 것 같다는 생각이 드는 거예요. 예를 들어서, 과학적이지는 않지만, 수족관을 만든다는 게 이 생물들이 살 수 있는 어떤 환경을 만들어주고 그 최소한의 바운더리를 만드는 거니까요. 그것처럼 기술이 파악한 내 삶의 바운더리라는 게 있을 것이고 기술 입장에서 볼 때 그 영역은 마치 수족관 같겠다는 생각이 들었어요. 최소한의 환경이라는 게 있다고 했을 때 수족관이 제 신체 형태까지 좁혀진 유리경계를 상상하게 되는 거예요. 완벽하게 기술로 최소한의 내 바운더리를 포착한다면 어떨까 그런 느낌을 상상해 보았더니 제가 진짜 바다에 빠진 것같이 답답하고, 잠수를 하는 느낌이겠다, 라는 생각이 들었어요. 잠수라기보다 점점 가라앉는 느낌이기도 하지만요.

그래서 이 주제와 관련해서 리서치를 하다가 '감각 박탈 탱크'라는 걸 발견한 거예요. 미국에 존 릴리(John C. Lilly)라는 좀 이상한 박사님이 계세요. 돌고래의 지능을 더 높여서 직접 대화를 해보려고 돌고래한테 LSD를 먹여서 뇌 자극을 주는 실험을 하고, 잠수 관련해서도 해양 수생물 관련 연구를 많이 했다고 하더라고요. 심지어 〈상태 개조〉(1980)라고 그분의 실험에 관한 컬트적인 인기를 끄는 B급 공포영화도 있어요. 이분이 감각 박탈 탱크라는 걸 발명했는데요. 사람 크기의 탱크에 피부 온도와 같은 소금물을 일정 정도 채워서 몸을 부양시키고 빛이나 소리와 같은 외부 자극을 차단하면 사람들이 환각을 체험한다는 거예요.

그즈음에 알게 된 또 다른 사실은 잠수부들이 물속으로 내려가면 부력과 중력이 일치하는 순간을 마주하는데 그때 되게 평온하고 좋대요. 심지어 어떤 사람들은 가끔 잠이 들기도 해서 어느 날 갑자기 떠내려가서 눈을 떴는데 자기가 모르는 곳에서 깨어나기도 한대요. 그런데 이미 돌아갈 수 있는 자원은 없고, 주위에 모르는 해양 생물들이 자고 있는 걸 맞닥뜨리는 거죠. 그러면 너무 겁이 나잖아요. 그런 글들을 읽으면서 중력, 부력이라는 것이 이렇게 사람들을 헷갈리게 할 정도로 영향을 미친다는 걸 알게 되었어요. 그래서 이 두 소재를 합쳐서 시뮬레이션이라는 것과 실제 삶을 구별하지 못하는 상황에 대해서 얘기할 수 있겠다는 생각에서 작업을 했어요.

멕시코라는 장소를 선택한 이유가 있나요?

그 부분은 장치였어요. 제가 작업하면서 항상 풀어야 할 퀴즈처럼 느끼는 부분이 있는데요. 제 작품을 영화처럼 관람하게 구성하지만 '이건 어떤 내용이야'라고 끝내지는 않아요. 영화라면 배우들이 그 말을 대신할 수도 있을 텐데 제 작업

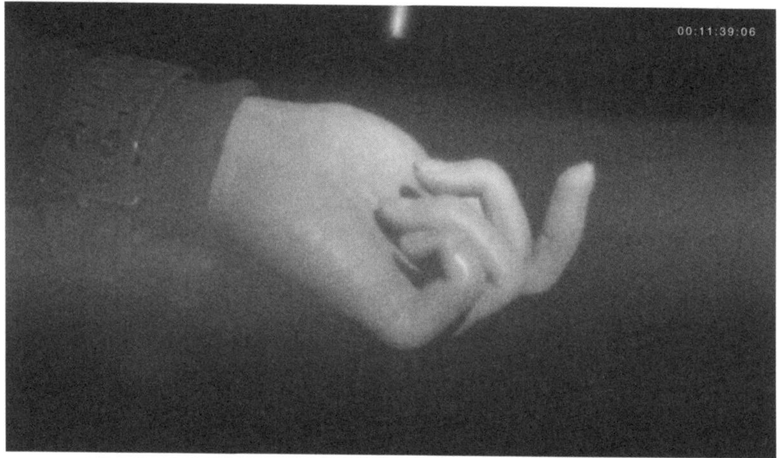

〈탱크〉는 케이팝 댄스를 추는 사람들과 다이버의 서사를 경유한다.

에서는 제가 얘기를 해야 되거나 혹은 그걸 누군가가 자연스럽게 전달할 수 있는 어떤 구조를 만들어야 되거든요. 제 질문을 관객들한테 전달해야 했기에 〈탱크〉에서는 초기 작업처럼 제가 내레이션을 하는 방식으로 돌아가자고 생각했고 그래서 스페인어를 썼어요. 멕시코 친구 중에 제 작업을 되게 좋아하는 친구가 있어서 저 대신 얘기를 하면 좋겠다는 생각에 멕시코에서도 촬영을 했어요. 보통 연기가 굉장히 어려울 수밖에 없는 이유가 말하는 사람이 그 내용을 이해해야 되거든요. 〈탱크〉는 제가 글을 써놨지만 그 내용을 좀 더 은유적으로 표현해 보고 싶었어요. 그 친구한테 하고 싶은 작업을 이야기했는데 주제에 대해서 너무도 자연스럽게 자신의 방식으로 얘기를 잘하는 거예요. 그래서 연기를 시켰고요. 그 멕시코 친구는 워낙 작업을 잘 알기도 하고 컴퓨터 프로그래밍을 하는 친구라서 아마 기술 관련해서는 좀 지식이 있으니까 더 자신의 방식으로 이야기할 수 있었던 것 같아요.

예상치 못하게 케이팝 춤을 추는 친구들로 이야기가 연결되는데 처음부터 작업을 어떻게 끝낼지 계획을 하고 촬영하신 건가요?

대부분 작업들은 처음에 저만의 계획이 있어요. 예를 들면 〈탱크〉는 '한계를 극복하는 스포츠 영화를 만들고 싶다'라는 말도 안 되는 생각을 했어요. 그리고 〈멈블〉 같은 경우에도 '강아지가 나오는 가족영화를 만들겠다'는 뭔가 나름의 포부가 있었어요. 마음속에 그런 계획을 세우고 사회와 기술 환경에 대한 얘기들을 가지고 출발하는 거죠. 근데 좀 진행하다 보면 글도 나오고 필요한 이미지가 생겨서 만들기도 하는데 대부분 어느 정도 작업이 뭔지 알 것 같아 하는 순간 한 1-2주 뒤에 이게 틀렸다는 사실을 깨닫고 방향을 확 바꾸거든요. 〈탱크〉는 처음 기획할 당시 멕시코 촬영 부분에서는 계속 극한으로 다이빙하는 장면의 영상을 생각을 했는데 그게 아니라는 사실을 깨달았을 때 '감각 박탈 탱크'에 대해서 알게 됐어요. 그래서 감각 박탈 탱크와 다이빙을 연결시키려면 3D가 필요하겠다는 생각에 그 이미지를 만들었는데도 뭔가 채워지지 않는 거예요. 어떤 부분이 빠졌다는 생각이 들었을 때 그간 하고 싶었던 자율 주행 자동차 얘기가 문득 떠올랐어요. 그리고 표면적으로는 전혀 관계없어 보이는 케이팝 춤을 추는 장면이 떠오른 거예요. 예전에 멕시코에 갔을 때 도서관 유리문 앞에서 케이팝 춤을 추는 친구들을 봤거든요. 도서관이 너무 조용하잖아요. 그런데 음악은 자동으로 계속 재생이 되고 그런 장면을 떠올리다가 그 친구들의 안무를 타고 흐르는 뭔가를 만들고 싶다는 생각이 갑자기 들었죠. 그래서 마감을 한 달 반 앞두고 갑자기 멕시코로 가서 추가 촬영을 했고 그 부분을 덧대면서 작업이 나왔어요.

〈탱크〉는 시뮬레이션과 실제에 대한 질문을 하는데요, 시뮬레이션도 실제로 우리가 경험하는 것 아닌가요?

단순히 실제냐 아니냐, 실제가 아닌 시뮬레이션이라는 것을 벗어나서 실재하는 세계를 우리가 선취해야 되는 것 아니냐 이런 문제는 또 아니라고 생각을 해서 만든 작업이기는 해요. 그러니까 말씀하신 대로 시뮬레이션도 실제라고 볼 수 있고, 예를 들면 그 작업은 결말에서 주인공이 마치 포기하는 것처럼 보이지만 그냥 이 환경을 받아들이는 거라고 저는 생각했거든요. 뭔가 기술이라는 걸 생각할 때 사람들이 가진 선입견이 있는 것 같아요. 〈메셔〉라는 작업을 할 때 그런 생각을 했었어요. 미디어에서 기술을 드러낼 때 어떤 특유의 톤이라는 게 있는데 그게 보통은 기술을 악이나 디스토피아로서 표현을 하잖아요. 당연히 그게 매력적이죠. 사람들이 좋아하니까요. 그런데 저는 '우리는 기술이 뭔지를 모르는 채로 그냥 살게 되는 거라니까?'를 말하고 싶었어요. 그러니까 미래가 어쩌고 할 때 미래적인 어떤 이미지나 기술의 플라스틱한 이미지를 사용하는데 '그게 아니라니까? 그냥 기술이 우리 삶에서 작동하고 있는지도 모르는 영역에서 작동되도록 하는 게 기술업계의 시선일 거야'라는 뜻이었어요. 이제 〈탱크〉에서도 마찬가지로 크게 뭐 기술에 도움을 받고 살고 있는데 우리는 꼭 그 기술을 이제 너무 항상 디스토피아로 표현하는 게 재미가 없다고 생각을 했기 때문에 다른 시도를 해본 거예요. 결론에서 잠수부의 입장이라면 사실 거기서 벗어나고 싶을 수도 있잖아요. 근데 그 상황에서 극복을 하고 현실로 나오는 스포츠맨 영화 설정은 아니기에 그냥 그거를 받아들이는 것이면 좋겠다. 물론 관객의 흥미를 유발하기 위해 다소 사람들에게 익숙한 어떤 우울한 톤으로 표현했지만 내용을 잘 보시면 그렇지는 않아요. 그게 끝났다 뭐 이런 느낌은 아니에요.

정치·사회적인 주제를 본격적으로 다루지 않는 이유가 있으신가요?

작가들이 정치·사회적인 문제를 다루기는 해야 된다고 생각을 해요. 그런데 저는 그 주제를 다루기에는 조금 겁이 많다고 해야 할지, 고민이 많다고 해야 될지 그걸 직접적으로 다룰 만큼 잘 알지 못한다는 생각을 가지고 있어요. 제 작업에 언뜻 나오는 정치·사회적 이미지들은 그 당시에 많은 사람들이 느낀 정도로 비슷한 감정을 느꼈기 때문에 자연스럽게 들어간 것 같아요. 그런데 코로나 때 '미술의 역할이 뭘까? 인간의 재난 상황에서 미술의 역할이 뭐지'라는 질문을 많이 했어요. 저는 아직까지 잘 모르겠다는 생각이 들면서 약간 허탈하기도 하더라고요. 뭔가 미술이 할 수 있는 게 있을 것 같은데 막상 작업을 하려고 하면 저는 잘 모르겠더라고요. 그 현상 자체에 대해서 말하는 거 말고 작업으로 만들려면 어떻게 해야 될지 고민을 해봤어요. 기만적인 작업이 안 되려면 어떻게 해야 되지? 이런 고민을 되게 많이 했거든요. 제 나름의 결론은 도리어 '미술로 꼭 그걸 해야 하는 건 아니지 않을까'였어요. 미술이 아니라 개인으로서 무언가를 해볼 수 있지 않을까 싶고요. 물론 어떤 기회가 생긴다면 작업에 도전해 볼 수도 있겠지만 꼭 내가 작업으로 해야 되는 것인가, 어려운 주제다, 라는 생각이 들어요. 그래서 저는 그런 주제로 작업하는 작가들이 존경스러울 때도 있어요. 정말 감당해야 할 고민이 엄청 많을 거예요.

기술이 발달해서 누구든 예술을 할 수 있는 시대인데요. 오늘날 좋은 예술이란 무엇이라고 생각하시나요?

'미술관에서 보여준다고 예술이라고 할 수 있냐' 하면 아닌 것들이 또 있으니까 플랫폼의 문제는 아닌 거죠. 이 질문은 각자의 이야기를 생각해야 될 수밖에 없어요. 개인적으로 저는 제 작업을 가지고 뭔가 질문을 던질 수 있으면 좋겠다라는 생각을 하고 나머지 작가들도 그러려고 작업을 하는 것 같아요. 좋은 예술이라기보다 제게 재밌는 것은 한 작가가 전작과 지금 작업을 만드는 데 있어서 어떤 방향성이 있고 앞으로가 궁금해지는 작업이에요. 예를 들면 어떤 방향이 있고 어떤 힘이 있고 어디로 가려고 하는 어떤 움직임이 있고 그래서 그다음 작업이 너무 궁금한 거죠. 사람들도 어떤 방향을 제시하거나 방향을 물어보는 그런 작업들이 재미있고 좋다고 생각을 많이 하는 것 같아요. 작품을 통해서 질문이 들게 하든지, 세계 작동 방식에 대해서 바라보는 방식이 달라지게 하든지, 내 삶에서 어떤 방향을 조금 바꿔보고 싶은 마음이 들게 한다든지 그런 작업들을 재미있다고 생각하는 것 같아요.

질문의 연장선상에서 최근 흥미롭게 본 작업이 있나요?

소설가 이상우 씨와 동시에 언급을 하자면 미술 작가 중에 김대환 씨라고 있어요. 처음 두 사람의 작품을 봤을 때 겁이 날 정도로 이걸 어떻게 읽어야 될지 어렵다는 것이 두 작가의 공통점이었어요. 근데 김대환 씨가 아트 스페이스 풀이라는 곳에서 개인전 『안녕 휴먼?』을 열었는데 큐레이터 김선옥 씨가 쓴 서문에 그런 말이 인용돼 있었어요. "익숙하지 않은 것에 대한 호의와 새로운 것에 대한 선의를 가지라."[5] 그러니까 낯선 것이 있을 때 사람들 대부분 약간 반감을 가지잖아요. 그런데 이상한 것들에 대해서 호의와 애정을 가지고 봐야 된다는 문장이었어요. 그 말이 저한테 꽤 용기 같은 걸 준 것 같아요. 이런 작업들을 모를 수도 있지만 '모를 수 있다'고 생각하는 거랑 '모르겠어서 싫어'는 좀 다르잖아요. 반감을 갖는 거니까요. 이상우 씨 소설도 처음에 읽고 좋은데 왜 좋은지는 잘 모르겠는 거예요. 그래서 오래 고민을 하고 이런저런 기회로 친한 친구가 되면서 인터뷰도 하고 그 작가의 리뷰를 쓰기도 하고 그랬었거든요. 그런 과정에서 이 사람의 작업에 대해서 제가 좋아하는 어떤 부분들이 형성되는 과정을 겪는 게 즐거웠어요.

5. '펼쳐서(展) 보여주기(示), 그리고 우회하기', 김선옥, 아트 스페이스 풀

제 숙제는 도리어 '어떻게 하면 낯선 것을 만들 수 있지?'예요. 저는 항상 제가 낯선 걸 만들지는 못한다고 생각하거든요. 제 작업을 사람들이 재밌게 본 이유는 분명히 어느 정도 익숙한 게 있어서예요. 관객들에게 끝까지 볼 수 있어 좋다는 평을 많이 듣고 그게 제일 기분이 좋아요. 왜냐하면 만들었는데 끝까지 볼 수 있다고 하니까. 그런데 그 이유가 충분히 낯설지 못해서라는 의구심도 드는 거죠. 아마 사람들이 제 작품에서 얻는 어떤 편안함도 있겠다는 생각을 하거든요. 근데 나도 진짜 낯선 걸 만들고 싶은데, 예를 들어서 스스로 영상 작업이 재미있구나, 라

는 걸 깨닫기 전에는 뭐가 좋은지 내가 뭘 하고 싶은지 아무것도 모르는 상황에서 누가 미술 영상을 만들어 봐, 라고 말한다 한들 어떻게 만들어 볼 수 있겠어요. 근데 마찬가지로 내가 낯선 것을 호기심을 가지고 보고 즐길 줄 모르면 낯선 걸 만들 수 없겠다는 생각이 드는 거죠. 왜냐하면 제가 만들어 놓고도 걱정할 거 아니에요? 낯선 걸 즐기는 경험이 있어야 상대방이 이렇게 한다는 시뮬레이션이 되는데 그게 안 되면 불안할 거 아니에요. 이게 진짜 낯선 것이라고 할 수 있는지 아니면 그냥 못 만든 작업인지 이런 고민이 항상 있거든요. 뭔가 기존의 궤도에서 벗어나고 싶은데 아직은 좀 부족한 부분이 있는 거죠.

미학적 성취에 있어서는 어떤 방향성을 가지고 계신가요?

저는 동시대의 언어와 리듬이라는 게 있다고 생각을 해요. 그러니까 우리가 누구나 동의할 수 있는 아름다움이라는 것, 미술 공부를 했건 안 했건 미술사를 알건 말건 차원을 떠나서 누구나 동의할 수 있는 아름답다는 건 조금 예전의 것이라고 볼 수도 있잖아요. 왜냐하면 그건 어쩌면 역사가 준 영향이라고 생각해요. 공부하지 않았다고 생각했지만 우리도 모르게 이미 학습이 된 어떤 것, 우리가 동의할 수 있는 무언가가 형성된 거죠. 저는 아직 정리되지 않은, 동시대의 언어와 리듬이라는 게 있고 그걸 작업하는 게 재밌다고 생각하는 것 같아요. 그래서 작업에 넣는 음악 같은 경우에도 재미있는 부분이 의뢰를 해서 받는 거지만 편집할 때는 결국 영상의 어떤 리듬을 제어하기도 하잖아요. 예를 들면, 대략적인 윤곽만 주고 음악을 요청했고 영상을 보여주지도 않았어요. 그냥 설명만 했어요. 이런 종류의 음악을 대략 이런 느낌으로 만들어달라, 이렇게 설명을 해서 음악을 받았는데 그게 영상이랑 붙었을 때, 너무 딱 맞을 때, 따로 편집이 필요 없을 때 '이게 동시대의 리듬인가

스크린으로 전도된 현실을 다루는 〈메셔〉(2018)의 장면 중 일부

봐'라는 생각을 가끔 하거든요. 그게 관객들한테 분명히 전달되는 바가 있으니까 젊은 관객들이 어떤 면에서 자기들의 언어로 얘기하는 작가라고 생각을 해주시는 부분도 있는 것 같아요.

우리의 삶을 이루는 단위가 일종의 픽셀이라고 생각을 하시나요?

제가 2018년에 〈메셔〉라는 작업을 할 때 그런 생각을 했었어요. 2015년도 작업에서 스크린과 세계에 대한 얘기를 할 때는 수사적인 표현으로서 사람들이 그 뉘앙스를 받아들일 거라고 생각했어요. 그게 맞다 틀리다를 떠나서 촉발하는 뭔가가 있을 것이라고 생각을 해서 스크린의 관점에서 얘기를 했던 거죠. 〈메셔〉라는 작업을 통해 그간 변화해 온 기술 환경을 보니까 우리의 진짜 세계가 스크린이 됐다고 표현할 수 있게 된 거예요. 그런데 이제 그 단위가 픽셀이라고 단정짓기는 힘든 것 같아요.

그동안 만들어온 작업들이 작가 본인에게는 어떤 영향을 끼쳤나요?

우선 〈바벨〉이라는 작업은 그 당시에 고민을 많이 했었어요. 내가 아버지 얘기를 한 걸 나중에 후회하거나 뭔가 감당 못 할 형태로 남을지 걱정이 됐었는데 스스로 생각을 천천히 정리해 볼 수 있는 계기가 돼서 저한테 되게 고마운 작업이고요. 다른 작업들은 그냥 만드는 게 너무 즐거웠어요. 내가 영상 만드는 걸 되게 좋아하는구나, 라는 걸 알았고 '너무 즐겁고, 너무 재밌었고, 그래서 진짜 운이 좋았다' 이런 생각을 많이 했었던 것 같아요. 내가 뭔가 하는데 즐거울 수 있는 일을 내 직업이라고 할 수 있다는 게 너무 운이 좋았다, 그리고 그걸 통해서 만난 사람들과 주고받은 좋은 영향을 가장 많이 생각하는 것 같고요.

그렇지만 동시에 모든 작업들이 제가 하려고 했었던 것에 한 60-70%에서 멈춘 것들이 되게 많아요. 앞서 말했던 '수족관' 같은 거 있잖아요. 거기서 출발했는데 정작 그것에 대해서는 아무 얘기도 하지 않았다는 것, 이 작업에서 아쉬웠던 점들에 대해서 돌아보게 되거든요. 다음 작업에서는 어떤 식으로 풀어가야 될지가 저에게는 고민으로 남아 있어요. 예전 작업을 다시 보면 어떤 작업은 너무 마음에 안 들었는데 다시 보니까 '잘 만들었는데?' 생각이 들 수도 있고요. 예를 들어, 〈메셔〉라는 작업이 너무 뜻대로 안 됐다고 생각을 했어요. 〈메셔〉는 작업을 할 때 굉장히 야심 찼어요. 기존에 하던 방식이 아닌 새로운 걸 시도한 경우라 어떤 피드백 같은 걸 기대했고요. 그런데 아무런 말이 없는 거예요. 그래서 '나 잘 못했나 봐' 하고 밀어놨었어요. 만들 때도 고생을 많이 해선지 즉각적인 반응을 기대했나 봐요. 오래 마음속 한편에 밀어놓게 되었는데 어떤 주기를 통해 이 작업을 보여줄 기회를 더 갖게 되었고 피드백도 받고 했습니다. 시간이 지나고 보니까 제가 되게 좋아하는 작업 중 하나가 됐고 스스로도 제 작업 중에서 중요한 작업이라는 인식을 하게 됐어요. 어쨌든 정해둔 몇 가지의 제 작업과 관련한 과제들과 씨름했던 과정들이 떠오르고, 또 다른 과제들을 할 용기가 생기는 것 같아요.

글도 잘 쓰시는데, 영상 작업의 어떤 점이 매력적인가요?

글을 다루는 것에 대해서는 내가 직업으로서 그리고 작가로서 그 업을 가지기보다 글 쓰는 게 즐겁다 정도예요. 근데 영상은 좀 자신 있나 봐요. 숙제들이 있지만 좀 더 해보고 싶은 부분이 있는 것 같아요. 이제 기존에 해오던 방식을 벗어나서 어떤 영상을 다룰 것인가도 고민해야 하고, 또 단순히 영상만 할 것도 아니긴 하지만요. 사람들이 영상을 만든다고 하면 컴퓨터 앞에서 일을 하는 것만 생각하지만 바느질처럼 나름의 수공예적인 즐거움이 있어요. 내가 생각한 것보다 편집 리듬이 '너무 좋은데?'라고 느낄 때도 있고, 별로라고 생각했는데 '뜻밖에 촬영이 너무 잘됐는데?' 싶은 장면도 있고. 그럴 때 혼자 꼼지락꼼지락하는 즐거움 같은 게 있어요. 만드는 사람으로서 결과물이 좋고 나쁜 것보다도 그 과정이 재미있어요. 게다가 저는 팀 없이 혼자서 작업을 하니까 소박한 재미들이 있어요. 또 결과물이 어떻게 나올지 모르는 상황에서 작업을 하는 것도 너무 즐거운 것 같아요. 친구들이 "희천 씨 작업 제가 기대할게요" 하면 "저도 제 작업 너무 궁금해요"라고 말해요. 왜냐하면 저도 모르는 상태에서 작업을 하고 있으니까 제작을 하고 있더라도 "저도 제 신작을 기대하고 있습니다"라는 농담을 해요. 그런 게 사실은 되게 중요한 것 같아요. 만드는 사람 입장에서는 정해놓은 어떤 결과물만을 보기 위해 그 결과에 닿으려고 하는 것은 너무 힘들 것 같은데, 막상 저도 그 결과를 모른다는 사실에 저는 영원히 고통을 받겠죠. 이게 어느 정도 진척된 건지, 닿을 수 있을지 없을지 모르니까요. 다만, 그게 즐거우면 작업을 재미있게 할 수 있는 여건이 되는 것 같고 아니면 이제 다른 일을 알아보는 것도 좋죠.

무빙 이미지의 경계를 확장해 나가는 8인의 예술가들

보더리스 스토리텔러

발행. 2022년 4월 28일
편내이. 이준동
펴낸곳. 전주국제영화제

기획. 문성경
편집. 권희수, 문성경
자문. 김광철
디자인. 박연주
기획 및 디자인 협력. 이진화
교열. 유수영
인쇄. 세걸음

ISBN 979-11-978534-2-5

전주국제영화제
전라북도 전주시 완산구 전주객사3길 22
전주영화제작소 2층 (54999)
전화 (063)288-5433
www.jeonjufest.kr